HET GING NIET VOORBIJ

Johanne A. van Archem

Het ging niet voorbij

VCL serie

MIX
Papier van
verantwoorde herkomst
FSC® C014496

ISBN 978 90 205 3225 8
ISBN e-book 978 90 205 3226 5
ISBN Grote Letter 978 90 205 3388 0
NUR 344

© 2013 VCL-serie, Utrecht

Omslagillustratie en -ontwerp: Bas Mazur

www.vclserie.nl

1

Zwijgend keek Eva van den Bergh door de aula. De moderne ruimte waar een overledene voor de laatste keer bij zijn nabestaanden vertoefde, stoorde haar vanwege haar steriliteit. Straks was het voorbij, de zwarte lijkwagen, de zwijgende mensen die wachtten of zich wegspoedden. Sommigen gingen naar huis, anderen volgden naar de begraafplaats. De vierkante ruimte van de aula was lang niet vol, zag ze.

Er waren weinig mensen op de begrafenisplechtigheid afgekomen. Ach, dat was niet verwonderlijk. Opa was vijfennegentig geworden, een zeer respectabele leeftijd, zei de dominee. Ja, dat mocht gezegd. Glashelder tot de laatste snik. Een man die zich 'vroeger' nog altijd herinnerde. Maar mooie verhalen over zijn jeugd in het Drentse land had Eva nooit gehoord van opa. Het enige wat hij had verteld was dat het 'toen' armoede troef was en dat hij ooit zijn beroepsleven was begonnen als boerenknecht op zeer jeugdige leeftijd. Leren was er niet bij, daar was geen geld voor. De ouders waren blij als de kinderen een paar centen konden binnenbrengen. Groot geworden in een plaggenhut, of iets wat daar sterk op leek. Dat was opa's 'vroeger', en daar was de romantiek ver te zoeken.

Tja, de schrale, moeilijke jaren dertig van de vorige eeuw.

Ze kreeg even de neiging om te grinniken. Ze had het haar grootvader gegund dat hij de laatste jaren vrolijker was geweest in de dagelijkse omgang, zoals vroeger, toen hij nog veel jonger was. Dat hij de leuke dingen had onthouden toen het volgens velen allemaal zo veel beter was dan nu.

Opa was somber geworden toen hij ouder werd, eenkennig en in zichzelf gekeerd, en het was alleen maar erger geworden met de jaren. Vroeger was hij niet zo, beweerde moeder steeds. Vroeger was het een aardige, spontane man, maar sinds hij niet meer werkte, al bijna vijfendertig jaar, was hij langzaam maar zeker veranderd. Eva had dat nooit begrepen, haar moeder ook niet, beweerde ze. Er was niets gebeurd wat die somberheid van de latere jaren kon verklaren. Hij had nooit verteld wat hem dwarszat, en of hem iets dwarszat zodat zijn laatste levensjaren een last werden.

Oma had het de laatste jaren van haar leven niet gemakkelijk gehad bij een man die zo sterk veranderde – en niet in zijn voordeel.

Eva kende hem voordien als een bescheiden, zwijgzame man. Ze had als kind veel plezier aan hem beleefd. Toen was hij een opa zoals opa's moesten zijn. Leuke dingen doen met de kleinkinderen, op stap met de trein, met de fiets, wandelen, een ijsje halen. Maar toen begon hij te veranderen, al had hij tot na zijn tachtigste een goede gezondheid bezeten. Hij zat toen al vaak zwijgend en stil achter de geraniums. Hij had dagen dat hij bijna niet in beweging was te krijgen, klaagde oma soms toen zij nog leefde. Hij kon hele avonden in zijn stoel zitten zonder een woord te zeggen. Als hem iets rechtstreeks gevraagd werd, kwam er amper antwoord. Hij hield niet van feestjes en verjaardagen, dat was algemeen bekend, daar had hij nooit om gegeven. 'Daar deden wij vroeger niet aan,' was zijn antwoord steevast geweest.

Er waren weinig mensen bij zijn uitvaart. Een handjevol maar. Een paar mensen uit het verzorgingstehuis, die nog goed ter been waren en die vonden dat ze van hun aanwezigheid blijk moesten geven.

De meeste leeftijdgenoten waren hem al voorgegaan in de laatste gang, zoals het werd genoemd. Opa had zijn generatie zo goed als overleefd. Het was niet altijd plezierig om op zo'n manier oud te worden. Iedereen om je heen viel weg, leeftijdgenoten waren er niet meer. Je moest het doen met de 'jonkies' van tachtig.

Oma was al meer dan tien jaar geleden gestorven na een ziekbed en in een verpleegtehuis. Opa bezocht haar trouw elke dag en zat hele middagen bij haar aan de tafel in de koffiekamer. Midden zeventig was ze geworden. Ze was een stuk jonger dan hij.

Vier dagen geleden was opa overleden, stilletjes op een sombere dag. Het paste eigenlijk wel bij hem, had vader nog opgemerkt. Het broze lichaam kon een stevige longontsteking niet meer aan. De laatste jaren had hij doorgebracht in een verzorgingstehuis. Tot zijn negentigste had hij zelfstandig gewoond, met enige hulp van derden en familie.

Eva zuchtte diep. Verdriet was er weinig, ook niet bij haar. Moeder had rode ogen, dat was begrijpelijk. Het was ondanks alles haar vader, en moeder was emotioneel van aard.

Opa had een briljant uitzicht op de honderd gehad. Hij had het niet gehaald, dat wilde hij ook niet, zei hij de laatste jaren steeds.

Hij had alles meegemaakt in zijn leven, piekerde Eva. Het was eigenlijk een heel boeiend leven geweest met die duizelingwekkende ontwikkelingen in de maatschappij en de wereld.

Een erg armoedige jeugd, dan een crisis die haar weerga niet kende en die eindigde met een verschrikkelijke wereldoorlog. Daarna de opbouw in de jaren vijftig met zijn beginnende welvaart. De televisie, de supersnelle revolutie van de elektronica. Van radio tot computer, van dorpsomroeper tot mobiele telefoon, van dorpswinkel tot internetbestellingen via je mobiele telefoon. En dat allemaal in een mensenleven van nog geen honderd jaar.

Toen hij een kind was, ging het vervoer nog hoofdzakelijk met paard-en-wagen, zoals de mensheid dat al duizenden jaren kende. Radio was een nieuw revolutionair systeem, en alleen de rijken hadden een telefoontoestel. De vrouwen hadden net stemrecht gekregen, en feminisme was nog iets waar alleen deftige dames zich druk om maakten.

Opa had zich niet meer aan de computer en aan de mobiele telefoon gewaagd. Dat was niets voor hem, had hij afwerend gezegd. Al die moderne fratsen. De televisie was hem genoeg. De rest was voor de jeugd, beweerde opa.

Voorbij, dacht Eva. Weer een vertegenwoordiger van die goede oude tijd minder op de voortrazende wereld van vandaag.

Zelfs ik raak de aansluiting kwijt, en ik ben nog jong, nog lang geen dertig. Het gaat allemaal zo snel. Het ene nieuwe speeltje is er nog niet of het andere komt er alweer aan, weer beter, weer sneller, weer meer kunstjes. Is het allemaal wel nodig?

Meid, prakkiseer daar later maar eens over, je brengt nu opa naar zijn laatste rustplaats bij oma. Hij heeft naar dit gebeuren gesnakt, dat weet je.

Ze liep achter haar ouders aan naar de volgauto. Het weer was somber en het zag ernaar uit dat er regen zou komen. De bomen rond de kerk vingen de stevige wind op, en de oude peppels met hun zilveren bladeren lieten een loeiend geluid horen. Het bleef niet droog vandaag. Dat was ook niet voorspeld.

Het was maar goed dat ze een paraplu bij zich hadden.

Haar ogen gleden over de groep mensen die hen volgde. Ze zag veel ouderen en weinig jongeren. Eén man liep helemaal alleen achteraan, zag ze, een jonge vent. Ze kende hem niet, ze had hem nooit eerder gezien.

Was hij een vertegenwoordiger van de fabriek waar opa zijn halve leven had gewerkt? Welnee, meid, opa was al een half leven weg bij die fabriek. Hooguit zou er een kleine mededeling in de nieuwsbrief staan onder het kopje 'gepensioneerd'.

Hij bleef staan bij de deur die toegang gaf tot het portaal van de kerk en keek zwijgend de kist na, die in de grote, zwarte lijkwagen werd geschoven. Aardige vent trouwens om te zien, het type van een gestudeerde knaap. Het donkere, golvende haar tot op de kraag van zijn leren jack. De man was niet echt lang, maar zeker niet klein.

Hij maakte geen aanstalten om zich bij de kleine groep te voegen voor vertrek naar de begraafplaats. Langzaam liep de man naar een auto op de parkeerplaats. Hij staarde nog eens naar de lijkwagen voor de kerk, die voor de stoet uit zou rijden. Het was niet ver naar de begraafplaats, al was het te ver om te lopen. Er waren ook mensen op de fiets.

Ze zag hem staan tussen een paar auto's. Welke auto was de zijne? Die dure, grijze bolide of die simpele, al wat oudere auto, die ernaast stond?

Nee, dacht ze, dat is een auto met een Duits kenteken. Die hoort zeker niet bij de begrafenisstoet.

Het was een openbare parkeerplaats, er was ook een restaurant in de buurt. Er stonden hier vaker auto's met buitenlandse kentekens.

Kom op, meid, je gaat je grootvader begraven. Geen aandacht voor jonge kerels, dat past vandaag niet. Dat past trouwens helemaal niet.

Ze kreeg een ietwat boze trek om haar mond. Ze was vandaag alleen. John had geen tijd, een belangrijke vergadering, had hij gezegd. Te belangrijk voor de begrafenis van een oude man van dik in de negentig. Even kneep ze haar volle lippen op elkaar. Nee, het stond haar niet aan, en haar vader nog veel minder, had ze gemerkt. Die had zijn wenkbrauwen opgetrokken en sarcastisch opgemerkt: 'Natuurlijk, zo'n vergadering is veel belangrijker.'

Eva opende de deur van de wachtende auto om plaats te nemen naast de chauffeur. Haar ouders stonden achter haar.

Moeder Sonja maakte nog een opmerking over de dienst. Keurig, zei ze, terwijl ze op de achterbank schoof. Ja, het was ook keurig. De dominee kende de overledene amper. Hij had een mooie preek gehad. Opa had weinig met kerk en godsdienst, had hij altijd verkondigd.

Hij kwam zelden in de kerk, alleen met bruiloften en begrafenissen. Oma was degene geweest die haar drie kinderen naar de christelijke school had gestuurd en hen meenam naar de kerk.

Vader Piet knikte kort en instemmend en trok de deur van de auto dicht. Vader was geen man van honderduit praten zonder reden. Hij leek wel iets op zijn schoonvader, maar toch was hij heel anders. Hij kon heel duidelijk iets vertellen waar geen woord Frans bij was.

Moeder praatte wel voor vader mee, zei broer Koos altijd. Moeder was een kwebbel eersteklas. Zo hielden ze elkaar in evenwicht.

Onwillekeurig gleden de ogen van Eva naar de onbekende jongeman, die ze nooit eerder gezien had en die naar de geparkeerde auto's was gelopen. Hij scheen te wachten tot de stoet vertrokken was. Keurig, zou moeder zeggen. Dat zag je tegenwoordig bijna niet meer. Mensen die de auto aan de kant van de weg zetten als er een begrafenisstoet aan kwam. Mensen die wachtten tot de stoet vertrokken was. Iedereen had te veel haast.

Eva keek achterom toen de stoet wegreed. Ze zag de jongeman de deur van zijn auto openmaken en instappen. Ze fronste haar wenkbrauwen. Het was de auto met het Duitse kenteken.

Vreemd, piekerde ze, waarom was die man bij de begrafenisdienst van opa?

Ze hadden geen Duitse familie of kennissen. Daarvoor was de

afstand naar de grens net iets te ver, al heette het voor sommige mensen uit het westen van het land dat ze vlak bij Duitsland woonden.

'Hij had een mooie leeftijd,' zei moeder dapper op de achterbank. 'Lang niet iedereen haalt de vijfennegentig. Hij heeft bovendien geen lang ziekbed gehad. Daar moeten we dankbaar voor zijn.'

Vader knikte kort. Opa had drie kinderen gekregen, hij was op latere leeftijd getrouwd, had Eva vaak gehoord. Hij was eind dertig geweest toen hij trouwde met een vrouw die tien jaar jonger was. Hij was na de oorlog naar Twente gekomen vanuit Drenthe, hij was geboren in de buurt van Coevorden. In Drenthe was weinig toekomst, heette het. Hij had lange tijd gewerkt in de textielfabriek en als kostganger gewoond in een kosthuis. Ineens was hij vrij onverwacht getrouwd met een jonge vrouw uit Almelo. Ze hadden elkaar ooit ontmoet in de bus naar Almelo, had oma vaak lachend verteld.

Moeder was de jongste van de drie kinderen en het enige meisje. De oudste, oom Jan, was al overleden, zijn vrouw ook. Die waren geen van beiden oud geworden, amper vijftig. Hun kinderen waren op de begrafenis, jongelui, die al vroeg zelfstandig hadden moeten worden.

Oom Henk, de middelste, was jaren geleden als jongeman vertrokken naar Australië. Hij was niet aanwezig. Hij had de lange reis naar Nederland niet zo snel kunnen regelen, had hij ontstemd laten weten via de e-mail. Een bericht sturen kon binnen een paar minuten, maar een vliegtuig bespreken om op tijd voor een begrafenis in Nederland te zijn, bleek niet mogelijk. Tja, de moderne techniek was nog lang niet volmaakt.

Eva luisterde niet naar de tirade van haar moeder. Haar gedachten waren bij die onbekende man in die Duitse auto.

Wie was dat?

Was de man per ongeluk de kerk binnengelopen? Nee, dacht ze, dat lijkt me sterk. Hij is ook weggereden en niet even een kop koffie gaan halen bij het restaurant aan de overkant van de parkeerplaats.

Eva draaide zich om. 'Zag je die auto met dat Duitse kente-

10

ken?' vroeg ze aan haar moeder.

Die trok haar schouders op. 'Er zijn wel vaker Duitsers in het dorp, zo ver is het nou ook niet van de grens af. Bij die mensen aan het begin van onze straat staat bijna elke week een Duitse auto.'

Eva knikte. 'Ja, die is van hun zoon, die woont in Duitsland vlak over de grens. Die auto heeft ook het kenteken van Nordhorn en omgeving. Deze auto heeft een heel ander kenteken.'

'Dat kunnen wel toeristen zijn. Het is hier een mooie omgeving.'

Eva schudde haar hoofd. 'De auto had een OL-nummer. Waar komt dat vandaan?'

De chauffeur keek opzij. 'Nedersaksen, Stad Oldenburg,' zei hij enkel. 'Ik heb vroeger altijd op Duitsland gereden als internationaal chauffeur. Dan leer je de kentekens wel plaatsen. EL en OL komen daar allebei uit die omgeving. Allebei Nedersaksen.'

Hé, dacht Eva verwonderd. Dat is niet meteen pal naast de deur, Oldenburg ligt ter hoogte van Groningen in Duitsland. Wat zoekt zo'n man hier in dit dorp?

Ze zweeg tot aan de begraafplaats. Haar ouders ook.

Een man met een auto uit Oldenburg woonde de begrafenis bij van haar grootvader. Hoe stak dat in elkaar?

De plechtigheid bij het graf duurde niet lang. Eva zag de kist wegzinken in hetzelfde graf waar tien jaar geleden oma in was neergelegd.

Toen heb ik gehuild, dacht ze, ik was ook nog maar zestien jaar. Oma was niet oud, net geen vijfenzeventig.

Een jaar voor haar dood trof haar een zwaar herseninfarct. Ze kon niet meer praten en niet meer lopen. Ze kon ook niet meer thuis wonen en vertrok naar een verpleegtehuis. Daar leek ze op te knappen, maar toen kwam een tweede infarct en dat bleek fataal. Alweer tien jaar geleden.

Eva keek naar haar moeder, die zwijgend naast haar stond, haar arm door die van haar man, zijn hand op de hare. Broer Koos had zijn arm om zijn vrouw heen geslagen.

Een ogenblik voelde Eva de verlatenheid. Naast haar stond niemand. John had hier moeten zijn, dacht ze geïrriteerd. Toen was het alweer voorbij. Opa en John, nee, die lagen elkaar niet. Opa had dat ook een keer gezegd: die jongen is niet goed voor je, meisje…

Gek, dacht ze. Opa maakte eigenlijk nooit van dat soort opmerkingen over mensen. Hij was vanaf het eerste ogenblik gecharmeerd geweest van Danny, de vrouw van Koos. Het is dat ik bijna negentig ben, had hij gekscherend tegen Koos gezegd toen Danny in de familie kwam, nu alweer vijf jaar geleden.

Moeder Van den Bergh was het absoluut niet eens met de opmerking van haar vader over de vriend van Eva. Die John was een fijne vent, was haar mening. Moeder drong stevig aan op een bruiloft. Ze waren het toch met elkaar eens, nou dan. John had een dijk van een baan, verdiende een prima salaris en reed in een dure auto. Hij kwam van een goed bekendstaande familie, tenminste, ze had nooit vernomen dat er rare dingen in die familie hadden plaatsgevonden.

Ja, dat was ook tegenwoordig nog steeds belangrijk, vond ze. Moeder was gevoelig voor uiterlijkheden.

Eva had de leeftijd om te trouwen. Of wilde ze wachten met trouwen tot ze kinderen had, zoals dat tegenwoordig zo vaak gebeurde? Dat vond moeder niets, als Eva dat maar begreep. En samenwonen evenmin. Het mocht dan doodnormaal zijn geworden, het hoorde niet in de ogen van moeder Sonja. 'In mijn jeugd was zoiets weinig meer dan een schandaal,' kon ze met stemverheffing zeggen. 'Ik ben er nooit een voorstander van geweest.'

'Ik woon niet samen,' zei Eva kortaf.

John wenste niet te trouwen, beweerde hij. Dat was iets voor ouderwetse mensen. Een modern iemand lachte om zoiets ouderwets als huisje-boompje-beestje. Niks voor hem, en daar diende Eva rekening mee te houden.

Dat had ze gedaan. Maar om te gaan samenwonen voelde Eva zich niet zeker genoeg van hem. Waren het die merkwaardige woorden van opa – 'hij is niet goed voor je' – en hadden ze dieper ingegrepen dan ze wilde toegeven?

John was behoorlijk dominant, wist Eva en dat schrok weleens af. Hij kon mokken als er iets niet gebeurde zoals hij dat wilde.

12

Maar hij kon ook heel attent zijn, hij was beleefd, voorkomend…

En toch, hij had hier vandaag moeten zijn, dacht ze.

Eva keek weer voor zich uit over al die stenen, al die graven.

De plechtigheid was voorbij. Hier zou opa achterblijven. Straks zouden ze hem toedekken met een paar meter zand. Niet aan denken, meid. Dat gebeurt altijd, hier eindigt een mensenleven.

De aanwezigen werden door de uitvaartbegeleider uitgenodigd mee te gaan naar de zaal naast de kerk voor een kop koffie.

Eva draaide zich om en keek nog eens naar het geopende graf. Dag opa, dacht ze. Het ga je goed, waar je ook bent. Je bent altijd goed geweest voor je gezin, voor je vrouw, voor ons, je kleinkinderen. Daar valt niets op aan te merken. Je ging graag op zaterdag naar de voetbalwedstrijden van je favoriete club. Je ging graag fietsen. Tot op hoge leeftijd heb je nog in je auto gereden. Je haalde je rijbewijs toen je vijftig was. Wat gingen oma en jij geregeld op stap met die kleine brik van jullie. Toen oma overleed, was de auto snel verdwenen. Je had er geen zin meer in.

Oma heeft een goed leven bij jou gehad, dat heeft ze honderd keer gezegd. Je was een trouwe echtgenoot, dat liet je blijken toen ze ziek werd, ook al werd je stil en teruggetrokken.

Je ging met oma naar Australië om oom Henk op te zoeken, alleen omdat oma dat zo graag wilde. Je durfde bijna niet in een vliegtuig, je sliep al drie nachten niet meer voor de reis begon en toch deed je het, voor oma.

Je liet oom Henk overkomen met zijn gezin en betaalde de reis. Het ging oom Henk in die eerste jaren niet zo best daarginds. Je stuurde hem geld. Dat weet ik van moeder, die het weer van oma had.

Je was een beste vent, met het hart op de juiste plaats, dat zegt iedereen die je gekend heeft. Je werd alleen met de jaren stiller en stiller. Het leek alsof een groot verdriet je te pakken had waar je niet overheen kon komen. Oma noemde het ook zo: een groot, stil verdriet, dat je op het einde van je leven te pakken kreeg. Je wilde of kon niet vertellen wat je dwarszat. Het had te maken met 'vroeger', meer kreeg niemand te horen.

En nu kun je het nooit meer toelichten, nooit meer vertellen.

Het is voorbij, voorgoed voorbij. *Na een welbesteed leven* staat er op de kaart. Vond je dat zelf ook?

'Je grootvader had een mooie leeftijd, Eva,' zei een stem naast haar.

Ze keek verwilderd op. De buurvrouw van haar ouders kwam naast haar lopen. Het was aardig dat ze de moeite had genomen om te komen. Ze had het ook met de condoleance af gekund.

Ze knikte enkel.

'Ik zag je zo diep staan peinzen,' knikte de oudere vrouw.

'Tja, het is wel een lang leven dat voorbij is.'

'Zeg dat wel,' knikte de buurvrouw. Ze liepen samen naar de grote toegangspoort.

'Gaat u nog even mee koffiedrinken?' vroeg Eva.

De ander knikte en liep naar haar fiets. Ach ja, buurvrouw had de tijd wel, die woonde ook alleen na de dood van haar man. Haar man was nog geen zeventig toen hij overleed, ze was al jaren alleen.

Eva stapte in de auto die wachtte. Haar ouders zaten ook al te wachten voor de rit terug naar de kerk.

Het was maar een handjevol mensen dat nog even koffiedronk. Opa was echt bijna de laatste van zijn generatie.

Ze hoorde opmerkingen tijdens het koffiedrinken als: hij heeft veel meegemaakt. Die staking in de fabriek in de jaren vijftig. Hij was een voorman bij de stakers. Daar hadden de hoge heren een zware dobber aan bij de onderhandelingen. Hij stond niet met de pet in de hand voor hen, zoals toen nog normaal was.

Ze luisterde naar die verhalen. Ze kende ze wel. Langzaam dwaalden haar gedachten terug naar die jongeman in die Duitse auto met het kenteken uit de stad Oldenburg.

Oldenburg. Een stad in het westen van Duitsland, niet eens ver van de grens. Een universiteit en een oude geschiedenis die vaak parallel liep met de Nederlandse geschiedenis. Was het vroeger geen Nederlands gebied?

Wel een mooie stad, zeiden mensen die er geweest waren. Eva was er nooit geweest, en de stad behoorde ook niet tot de favoriete plaatsen die ze zou willen bezoeken. Het was geen toeristische trekpleister zoals Münster.

Het kon Eva niet bijster interesseren. Wie was die man en wat zocht hij? Dat was interessanter.

Was het toeval dat hij hier verzeild was geraakt? Je zou van een Duitser verwachten dat hij de Noordzeekust opzocht, of Amsterdam. Maar wat zocht hij in dit dorp in Twente? Toeristisch gezien stelde het dorp weinig voor, zeker voor buitenlanders. Er waren een paar campings in de buurt, en de omgeving kende veel bossen en heide. Er kwamen hier veel mensen met caravans en er waren een paar parken waar vakantiehuisjes op stonden. Maar het waren Nederlanders die daar hun toevlucht zochten, geen buitenlanders.

Nee, die jongeman was geen toevallige voorbijganger, dacht ze. Die was welbewust naar de kerk gekomen. Maar wat zocht hij daar dan?

Kende hij opa? Hoe wist hij dan van zijn overlijden?

Er had een advertentie in de krant gestaan, maar dat was het regionale dagblad, dat niet werd gelezen in Duitsland.

Ach meid, je zoekt er te veel achter, dacht ze toen ze haar kopje neerzette op de tafel. Die vent is toevallig hier langsgekomen, en wie weet wat voor een nieuwsgierigheid hem dreef om die open kerkdeur binnen te gaan…

Nee, dacht ze, dat is het niet. Zo mooi is deze kerk niet dat hij de aandacht trekt van bewonderaars. Het is een simpel gebouw, zoals er hier aan het begin van de vorige eeuw meerdere zijn neergezet. Mensen betaalden hun kerk zelf in die dagen. Ze konden zich geen dure ontwerpers veroorloven, het waren eenvoudige, praktische kerkgebouwen.

Ze keek om zich heen. Niemand had het over die Duitser. Hij was blijkbaar niemand opgevallen.

Er waren vaker onbekende mensen aanwezig bij een rouwdienst of een trouwdienst. Het was openbaar, iedereen was welkom. Daar hoefde je niets achter te zoeken.

En toch…

Een Duitser uit Oldenburg. Wat zocht die in een dorp in midden Overijssel?

2

Eva woonde in hetzelfde dorp als haar ouders, in een klein appartement in het centrum van het dorp. Ze had het met een beetje geluk in handen gekregen. Het was eigenlijk bedoeld voor oudere mensen, maar die bleken toch wat minder belangstelling te hebben dan werd verwacht.

Ze werkte al een aantal jaren als medewerkster op een personeelsafdeling van een groot bedrijf in Zwolle. Een redelijke baan, niet geweldig, vooral niet wat de betaling betrof, vond zijzelf. Maar ze was er tevreden mee, ze was ook niet iemand die veel nodig had. Ze hoefde niet elke avond te gaan stappen met bekenden, en ook de laatste mode kon haar niet echt boeien. Lange, exotische vakantiereizen lagen haar al helemaal niet.

En daar lag het probleem met haar vriend John. Die hield namelijk wel van lange, exotische reizen, veel uitgaan en dure elektronica. Of daar nu wel of geen geld voor beschikbaar was.

Eva had al eens gedacht dat het op een gegeven moment tot problemen kon leiden tussen hen.

Maar daar wilde ze nu niet over denken. Ze was jong en ze had nog een leuke toekomst voor zich, hoopte ze. Er kon nog wel een paar jaar gewacht worden met vaste plannen maken voor de toekomst.

Ze had voor haar werk en eventuele reizen een treinabonnement genomen. Dat had tot ergernis geleid bij John. Die vond zo'n abonnement geen 'ponem' hebben. Alleen 'losers' reisden per trein, was zijn stellige mening. Je hoorde als jonge carrièremaker een blitse auto te hebben, en die had hij.

En een zuiplap van een auto, dacht Eva stiekem. John had nog nooit gehoord over milieu en bezuinigingen.

Eva liet hem praten. Het bedrijf waar ze werkte, stond op een paar honderd meter afstand van het station. Het was prima te lopen, en ze had geen last van de files die in de ochtend probeerden de stad binnen te komen en die in de avond weer te verlaten.

Ze had wel een auto, maar die werd weinig gebruikt. Het was een oud wagentje en ze vond het meer dan genoeg. Driekwart van de tijd stond hij voor het appartementengebouw waar Eva woonde. De auto vroeg weinig onderhoud en reed altijd.

John vond het vervelend dat ze zo'n oude auto had. Hij woonde in Zwolle en werkte in Meppel. Hij vroeg regelmatig waarom ze niet in Zwolle kwam wonen. Hij had een mooie flat en ze kon zo bij hem intrekken. Dat was veel goedkoper: samen een huis. Nu moesten ze allebei huur betalen.

Ze had het geweigerd. Dat was misschien de enige keer dat moeder Sonja het met haar eens was geweest. Die hield niet van dat 'gehok' zoals ze dat noemde. Iedereen deed het tegenwoordig, maar dat wilde nog niet zeggen dat Sonja het ermee eens was. Wat gebeurde er als de boel uit elkaar knalde?

Eva zuchtte. De begrafenis was achter de rug en ze was met haar ouders, broer en schoonzus naar haar ouderlijk huis gegaan. Er was nog veel te overleggen en te regelen, begrepen ze allemaal. De kamer van opa in het tehuis moest met een week leeggeruimd zijn. Ze spraken af dat ze het de komende zaterdag met z'n allen zouden aanpakken. Moeder Sonja wilde de kast wel hebben, Eva kon nog wat serviesgoed gebruiken en ze wilde het schilderij waarop het huis van haar grootouders was afgebeeld graag hebben.

Haar vader trok zijn wenkbrauwen op. 'Dat is niet veel waard,' zei hij enkel. 'Nog geen honderd euro.'

'Opa was er sterk aan gehecht,' merkte Koos op. 'Ik weet dat Eva het graag wil hebben. Ik heb er ook wel belangstelling voor.'

Ze knikte naar haar broer. Vader dacht vaak in termen van geld, besefte ze. Dat had hij altijd gedaan.

Ze hadden afgesproken om het leegruimen op één dag te doen. Dat moest kunnen, als ze allemaal aanpakten.

'Kan John ook een handje meehelpen?' wilde Koos weten. 'Waarom was hij er niet vandaag?'

Ze haalde haar schouders op. 'Belangrijke vergadering,' mompelde ze.

'O, belangrijker dan een begrafenis?' informeerde Danny, de vrouw van Koos.

Eva zweeg. Dat waren ook haar gedachten. Danny had nooit een scheef woord over John gezegd, maar ze lagen elkaar niet. Als die twee bij elkaar in de kamer zaten, was de spanning bijna

17

voelbaar. Het was aan Danny te danken dat er nog geen uitslaande brand was ontstaan. John kon behoorlijk grof zijn, en hij ging altijd recht tegen elke opmerking in die Danny maakte.

Soms gebeurde het dat iemand Danny bijviel en dan kwam het losjes van John: 'Dat weet ik ook wel.'

'O,' had Koos een keer opgemerkt. 'Weet je het wel? Waarom ga je er dan recht tegenin?'

Sinds die tijd boterde het wat minder tussen de familie en John. Alleen Sonja bleef een fel aanhanger van hem, zoals Koos het soms spottend noemde. Ook vader Piet had het niet zo op John begrepen, want hij zei de laatste tijd steeds minder als John aanwezig was. Hij had geen zin om zijn dochter in de gordijnen te jagen, en de vrede in huis was hem ook wat waard, want moeder Sonja sprong steeds voor haar aanstaande schoonzoon in de bres, ook nu weer. 'John is ook nog geen echte familie,' betoogde ze. 'Zijn carrière is ook belangrijk.'

'Ik denk dat het niet nodig is dat hij zaterdag overkomt uit Zwolle,' zei Eva haastig. 'Je loopt elkaar gauw in de weg.' Hij zou het waarschijnlijk niet doen ook. Sjouwen en trekken in een oude spijkerbroek was niks voor John. Hij liep zelfs in zijn vrije tijd nog altijd in een net pak.

Een echte VVD'er, had Koos weleens smalend gezegd.

John had bovendien twee linkerhanden. Nee, hij kon beter zijn aandacht geven aan zijn carrière, dacht Eva ineens snerend. Ze was boos, merkte ze. Ze was de laatste tijd vaker kwaad op hem. Soms om de eenvoudigste dingen.

'Er waren weinig mensen op de begrafenis,' merkte Sonja op. Er waren ook heel wat broodjes overgebleven.

'Ik zag een auto met een Duits kenteken; de eigenaar was in de kerk,' merkte Danny ineens op.

Eva keek haar verrast aan. 'Heb jij die man ook gezien?'

Danny knikte kort. 'Ja, ik zag hem in de kerk zitten. Hij kwam laat binnen en ging achteraan zitten. Ik dacht eerst nog: iemand die opa op een of andere manier gekend heeft. Na de dienst zag ik de man in een auto met een Duits nummerbord stappen.'

'Vreemd,' vond Koos. 'Kende opa dan Duitsers?'

Niemand gaf antwoord. Opa was opgegroeid in de buurt van

Coevorden. Dat was vlak bij de grens. Hij zou in zijn jeugd heus weleens richting Duitsland zijn gegaan, maar sinds hij hier woonde was hij nooit meer de grens met Duitsland overgestoken. Hij was ook nooit meer naar Drenthe gegaan, daar had de hele familie zich meer dan eens over verbaasd. Broers en zusters van opa waren er niet meer; hij had iedereen overleefd. Toen zijn broers en zusters nog leefden, kwamen die geregeld naar hier.

Koos en Danny stonden op. Ze moesten gaan, zei Koos. Ze woonden in Enschede en hadden de kleine uitbesteed bij Danny's zuster in Hengelo. Ze moesten het meisje nog ophalen. Nee, geen zorgen, die was zaterdag ook meer dan welkom in Hengelo.

'Nou, we zijn er tegen negen uur,' beloofde Koos en ze zwaaiden nog even door het raam voor ze naar de auto liepen.

Eva stond ook op en trok haar lichte zomerjasje aan. Ze nam een zak met broodjes mee naar huis en liep de korte afstand naar haar appartement.

Het was voorbij, dacht ze. Opa was er niet meer. Ze zou hem missen, besefte ze, ondanks zijn zwijgzaamheid.

De vader van moeder. Ooit was hij een hartelijke, spontane man, maar toen hij ouder werd, kwam de teruggetrokkenheid, de zwijgzaamheid, het in gedachten verzonken zijn. Was het om oma, die hij zo verschrikkelijk miste en die hem tien jaar geleden al ontviel?

Nee, het proces was al voor die tijd aan de gang. Oma had er ook moeite mee gehad.

Ach opa, mededeelzaam was je niet, ook niet tegenover degenen die het dichtst bij je stonden. Je zweeg over vroeger, over je jeugd, over je jonge jaren. Op jouw manier was je hier gelukkig, je vond oma en je was gek met haar. Dat bleek uit alles. Je was ook gek met je kinderen en je kleinkinderen.

Ze glimlachte voor zich uit. Ze had weleens via de computer geprobeerd uit te zoeken hoe haar familie in elkaar stak. Dat was nog best ingewikkeld. Maar ze had wel achterhaald dat opa van een heel gewone arbeidersfamilie stamde, dagloners en veenarbeiders uit het zuidoosten van Drenthe. Een groot gezin met veel kindersterfte; rijkdom en aanzien kende men daar niet.

Ze zuchtte onwillekeurig en opende de toegangsdeur tot het

complex waar ze woonde. De postbus was leeg op een enkel fol-
dertje na.

Langzaam ging ze de trap op naar boven.

Ze was weer thuis, dacht ze bijna opgelucht toen de deur achter haar dichtviel.

Ze zat even ontspannen na te denken in haar gemakkelijke stoel.
Haar gedachten waren bij deze vreemde dag. Iedereen was uit
zijn gewone doen geweest. Een begrafenis was een onherroepelijk afscheid. Voorbij, uit, weer iemand weg uit de kring van
mensen om je heen.

Opeens ging de telefoon. Ze schrok op van het gerinkel.
Langzaam stond ze op en keek op de nummermelder. John, zag
ze. Even schoot het door haar heen: laat maar bellen. Maar toen
nam ze toch op.

'Waarom staat je mobiel niet aan?' kwam het meteen. O ja,
dacht ze, helemaal niet meer aan gedacht. Ze had hem vanmorgen uitgezet. Telefoongerinkel bij een kerkdienst en tijdens een
begrafenis was onbeschoft. Zoveel fatsoen moest een mens hebben om zich bij zo'n gelegenheid niet te laten lastigvallen met
een of andere onbenulligheid. Het was maar een knopje indruk-
ken om dat te voorkomen.

Eva had er niet aan gedacht om de telefoon na de begrafenis
weer aan te zetten. Zo vaak werd ze niet gebeld, en ze had geen
behoefte aan getwitter en geklets via internet op een telefoon.

'Vergeten,' mompelde ze.

'Ik heb geweldig nieuws,' kwam het uit Zwolle.

'Dat is mooi, maar ik ben net thuis van een begrafenis,' herinnerde ze hem koeltjes.

'O ja, hoe ging het?' kwam het nonchalant en bijna ongeduldig.

'Hoe ging het? Hoe moet het gaan bij een begrafenis?' vroeg ze
kil.

Was hij altijd alleen met zijn eigen zaken bezig? Ja, wist ze.
Dat was altijd het geval. Het begon haar de laatste tijd steeds
meer op te vallen en ook te irriteren.

'Moet je luisteren, Eva, het was een oude man, dik in de negentig. Hij wist van voren amper dat hij van achteren leefde.'

'Dat wist hij heel goed,' snauwde ze nu.

'Nou, ik bel wel terug, hoor. Ik had geweldig nieuws voor ons allebei. Ik zal het je aankomende zaterdag wel vertellen.'

'O ja, zaterdag blijf ik hier. We moeten de kamer van opa ontruimen.'

Het bleef even stil. Toen kwam het kortaf: 'Moet jij dat doen?'

'Nee, samen met mijn familie.' Ze legde de nadruk op 'mijn'. Mijn familie, en daar hoor jij niet bij, jongen.

De hint kwam aan, merkte ze. Hij bond in. Zou hij dan tegen de avond richting Twente komen? Het was echt belangrijk!

Ze gaf toe, een beetje moe, ook een beetje met tegenzin. Ze zou tegen de avond de knollen wel ophebben na een hele dag sjouwen, meende ze.

Ze zuchtte even toen ze de telefoon neergelegd had. Meisje, je hebt niet alleen te maken met het overlijden van je grootvader; je moet ook eens diep nadenken over je relatie met John. Aardige jongen, maar wel erg met zichzelf bezig. Alleen maar met zichzelf en zijn eigen zaken bezig, dat is beter uitgedrukt. Kun je ertegen dat je de rest van je leven altijd moet bedelen om zijn aandacht? Bovendien een dure jongen die veel geld nodig heeft, en dat past niet echt bij jou.

Toch dacht ze: wat zou hij hebben voor geweldig nieuws? Had hij promotie gemaakt? Nieuws voor ons allebei? Wat kon dat betekenen?

Die zaterdag meldde de familie zich bij het tehuis om de kamer van opa te ontruimen. Vader Van den Bergh had een busje geregeld om de meubels in te laden.

Ze werden ontvangen en behulpzaam de weg gewezen naar de lift bij de achteruitgang, zodat de weg een stuk korter was van kamer naar bus. Tja, de kamer was weer nodig. Er stonden genoeg mensen op de wachtlijst voor opname in het tehuis.

Halverwege de ochtend kwam een jonge verzorgster een blad met koffie en wat koekjes brengen.

'Het was een rustige man,' zei ze, terwijl ze nog even om zich heen keek in de snel leeg wordende kamer. 'Hij had niet veel gezelschap nodig. Hij bleef liever op zijn kamer. Met de buurvrouw hiernaast had hij wel contact, daar ging hij geregeld 's avonds zijn kopje koffie drinken. Zij is ook veel alleen. Ze zal hem missen, denk ik.'

Ze knikten. Het was bekend dat opa geregeld bij de buurvrouw zat of de buurvrouw bij hem. Ze hadden veel steun aan elkaar gehad, wist Eva. Ze hadden beiden hun partner en hun zelfstandigheid verloren.

'Hij was nog heel helder voor zijn jaren,' merkte het meisje op, en ze zette de kopjes op de kale tafel. 'Jammer dat hij ineens zo snel achteruitging. Nu ik het er toch over heb, er was vorige week nog iemand die hem graag had willen spreken, maar dat ging niet meer, helaas, de heer Reijnders was net overleden.'

'Vorige week?' fronste Eva. Ook Koos keek op. Sonja werkte door. Vader Piet had de opmerking niet eens gehoord, hij liep net de deur uit.

'Ja, vreemd eigenlijk, hij kende uw grootvader helemaal niet, vertelde hij. Het had moeite gekost om hem te vinden, zei hij nog.'

Nu werden ze helemaal opmerkzaam. Een man die opa had gezocht? Waarom in vredesnaam? Opa was maar een heel gewoon iemand.

'Het was een Duitser, een jonge vent,' zei de verzorgster toen.

Het werd ineens stil. 'Een Duitser?' echode Eva. 'Dezelfde man die ook in de kerk was?'

De verzorgster keek haar verwonderd aan. Ze begreep de opmerking niet helemaal. 'Hij vroeg nog wel wanneer de begrafenis was. Het speet hem dat hij net te laat was, zoals hij zei. Hij heeft nog even gebabbeld met de buurvrouw die ik net noemde.'

Ze knikte nog en liep toen weg.

Koos en Eva keken elkaar aan. Een Duitser die naar opa had gevraagd? Wie kon dat zijn, en wat wilde die man eigenlijk?

Opa had niets met Duitsland, hij moest er niets van hebben. Hij was er in de jaren dat hij in Twente woonde nooit geweest; hij had zijn paspoort zelfs maar één keer gebruikt voor de reis naar Australië, en dat document was allang verlopen.

'Die man is vast verkeerd geweest,' zei Sonja pertinent. 'Ik bedoel, die heeft opa voor iemand anders aangezien.'

Ze werkten zwijgend verder, ieder met zijn eigen gedachten. Nee, dacht Eva nog, die man was niet aan het verkeerde adres. Die man had opa gezocht, maar waarom? Ik ga straks, als we klaar zijn, even naar die buurvrouw...

De eerste meubels waren ingeladen en weggebracht. Vader kwam terug met het busje om weer een vracht op te halen. Het zou voorlopig worden opgeslagen in de garage van Piet en Sonja. De auto moest dan maar een tijdje op de oprit blijven staan. Dan had hij maar geen auto moeten worden, zei Piet schouderophalend.

Het was niet eens veel, merkten ze. Het bankstel ging weg naar een kringloopwinkel. De kast en de kleinere spullen werden verdeeld.

Tegen twee uur waren ze klaar en meldden ze zich bij de receptie. De kamer was ontruimd. Nee, de vloerbedekking mocht blijven liggen. Het bed was van het tehuis en stond er dus nog.

Ze liepen naar buiten. 'Ik heb hier heel wat voetstappen gezet,' verzuchtte Sonja. 'Allemaal trouwens. Mijn vader kan niet zeggen dat we hem vergeten zijn.'

Nee, dacht Eva terwijl ze bleef staan bij de receptie. Dat zal opa, waar hij ook is, niet mogen zeggen. Zelfs Koos en Danny kwamen geregeld uit Enschede over.

'Wij gaan,' zei Koos. 'Jij bent met de fiets?'

Ze knikte en stak haar hand op. 'Ik kom met een uurtje. Ik wil me eerst wat opfrissen.' Ze keek de familie nog even na en richtte zich toen tot de receptioniste. 'De buurvrouw die naast mijn grootvader woonde. Is ze thuis?'

'Ik denk het wel, mevrouw. Ze gaat weinig uit. Slecht ter been en voor zover ik weet, heeft ze geen familie meer, althans, we zien hen nooit. Ach, ze is ook over de tachtig. Lang getrouwd geweest en geen kinderen. Dan vereenzaam je op je oude dag.'

Eva knikte vriendelijk en liep terug naar de gang waar de kamer van opa aan lag. Ze klopte op de deur ernaast.

Het duurde even voor de deur werd geopend. Een bejaarde vrouw keek Eva wat nieuwsgierig aan. 'Ach, ik zie het, de kleindochter van Jacob. Kom binnen, meisje.'

Eva stapte over de drempel. De kamer was even groot als die

23

van opa. Maar heel anders. Gezellig, dacht ze. Prulletje hier, bloemetje daar. Warm.

'Ga zitten. Eva is het toch?'

Opa heeft hier wel zitten vertellen, dacht Eva. Hoe teruggetrokken en zwijgzaam hij ook mocht zijn, zijn buurvrouw weet hoe we heten.

'Ik kon niet naar de begrafenis. Te slecht ter been. Het is al moeilijk om naar de grote zaal te gaan. Maar dat doe ik toch, anders zie ik helemaal niemand,' praatte de vrouw. 'Kopje koffie?'

'O, lekker. Zal ik het zelf inschenken?'

'Ja graag, kind.' De vrouw liet zich opgelucht in haar stoel zakken.

'Ik wilde u nog bedanken namens opa. Hij kwam hier graag.' Eva liet in het midden of hij dat zelf had gezegd of dat ze dat via iemand anders had vernomen.

De oudere vrouw knikte vriendelijk. 'Ach ja, Jacob was geen gezelligheidsmens. Maar hij kwam hier geregeld. Dan zat hij op die stoel.' Ze wees naar een oude leunstoel.

Eva zette twee kopjes op de kleine tafel en ging zitten. 'Opa had gelukkig geen lang ziekbed,' zei ze.

'Nee, dat was ook niets voor hem geweest,' merkte de buurvrouw op.

'Ik hoorde dat er een paar dagen geleden nog iemand naar hem heeft gevraagd?' vroeg Eva toen.

De oudere vrouw zette het kopje meteen neer en staarde het meisje aan. 'Ik heb hem doorgestuurd naar je moeder. Is hij daar niet geweest?'

Eva schudde haar hoofd. Vreemd, schoot het door haar heen. Moeder liet niets merken. Misschien was hij ook niet bij haar geweest. 'Ik weet alleen dat het een Duitser was. Dat vertelde de verzorgster.'

'Ja, ik versta goed Duits. Mijn moeder was Duitse. Daar hebben we last genoeg om gehad in de oorlog. Ze werd gezien als een verraadster. Ze heeft nooit iemand aangebracht en dat kun je van veel Hollanders niet zeggen.' Ze knikte voor zich heen. 'Dat schiep een band met Jacob…'

'Een band?' echode Eva. 'De oorlog? Ik heb opa nog nooit over de oorlog gehoord.'

'Nee? Vreemd, weet je niks van zijn oorlogsverleden?' kwam de onverwachte vraag.

'Nee,' schudde Eva verwonderd haar hoofd.

De ander zweeg een tijdje en nam haar kopje van de tafel. Toen keek ze op. Pientere ogen, dacht Eva nog. Geen domme vrouw ook. Dat straalt ze uit.

'Je grootvader kwam uit de buurt van Emmen, Coevorden. Hij is na de oorlog weggegaan omdat er voor een landarbeider weinig of geen werk meer was in die omgeving, en in Duitsland wilde hij niet meer werken. Dat is begrijpelijk, nietwaar. Hij was namelijk al voor de oorlog naar Duitsland gegaan om daar te werken bij een boer. Hij was een jonge jongen, ik denk een jaar of zeventien, of nog iets jonger. Er was toen bijna geen werk in Nederland, de zware crisis van de jaren dertig. En in Duitsland was werk zat. Dus waarom zou hij daar niet gaan werken? Het was maar een paar kilometer over de grens. Die Hitler werd in de beginjaren gezien als een economisch wonder, hij maakte dat Duitsland er weer bovenop kwam. Daarom liepen ze ook allemaal achter hem aan,' zei de vrouw schouderophalend. 'In de oorlog kon je grootvader niet meer weg uit Duitsland, ook niet omwille van zijn broers. Doordat hij bij die Duitse boer bleef werken, hoefden zijn broers niet naar de *Arbeitseinsatz* en mochten ze thuisblijven, althans de eerste jaren. Na de oorlog ging hij in de textiel aan het werk. Zo heeft hij het mij uitgelegd.'

'Dat wist ik helemaal niet. Het enige wat wij weten is dat hij in zijn jonge jaren boerenknecht is geweest, maar niet dat hij in Duitsland bij een boer werkte.' Over opa's verleden werd niet gesproken. Had hij dat ook nooit verteld aan zijn kinderen? Waren moeder Sonja en oom Henk op de hoogte van een Duitse periode van opa? Waarom vertelde hij dat wel aan deze vrouw, die toevallig naast hem woonde in het tehuis? Had dat te maken met die Duitse moeder van zijn buurvrouw? Schiep dat op de een of andere manier een onverwachte band?

'Die Duitser had het ook over die oorlogstijd toen je grootva-

der in Duitsland zat. Hij wilde er graag over praten met je grootvader.'

'Was dat familie van die boer waar opa heeft gewerkt? Een
zoon of een kleinzoon?'

De vrouw glimlachte droevig. 'Nee kind, het was geen boeren-
zoon, die jongeman. Eerder iemand uit een gegoede familie. Ik
weet er het fijne niet van. Jacob heeft weinig verteld over die
boerenfamilie. En wat die Duitser precies wilde, heeft hij ook
niet verder toegelicht.' Ze keek de jonge vrouw aan. 'Ik weet wel
dat je opa een zwaar trauma heeft overgehouden van die jaren in
Duitsland. Hij moet daar het nodige hebben meegemaakt. Dat
bleek uit alles. Hoe ouder hij werd, hoe meer last hij ervan
kreeg.'

3

Het verhaal van de buurvrouw bleef Eva bezighouden. Opa en de oorlog…

Vreemd, iedereen had verhalen over de oorlog, opa nooit. Hij had net als de meeste Nederlanders geprobeerd te overleven. Sinds enkele uren wist ze nu dat hij in Duitsland had gewerkt. Hij had zijn broers in die eerste oorlogsjaren daarmee gevrijwaard van werken in Duitsland. Hadden ze hem dat in dat dorp in Drenthe soms een beetje kwalijk genomen? Eva had nooit gemerkt dat de familie uit Drenthe opa scheef aankeek of hem zelfs negeerde. Ach, die mensen wisten wel beter. Het zouden de onwetende buitenstaanders zijn, die niet gehinderd door enige kennis van zaken hun oordeel klaar hadden, als het zo was.

Toen Eva het verhaal tegen haar ouders vertelde, hadden die verbaasd opgekeken. Vooral moeder Sonja had met klem beweerd dat ze dat verhaal nog nooit gehoord had. Niet van opa, maar ook niet van de Drentse familie.

Was die Duitser dan niet bij haar aan de deur geweest, vroeg Eva nog, maar moeder ontkende het bij hoog en bij laag. Ach, moeder was de laatste dagen ook amper thuis geweest toen opa zo ziek was en daarna, na zijn overlijden. Die man kon best aangebeld hebben terwijl ze er niet was.

Wie zou die man zijn, werd er gevraagd.

'Het was geen familie van die boer waar opa blijkbaar had gewerkt,' zei Eva langzaam. 'Deze man zocht bewust naar opa en wilde hem spreken over de oorlogsjaren.'

'Dus opa heeft toch geheimen gehad in zijn leven,' merkte Koos op. Hij kon er niet mee zitten, zei hij. Het was bijna zeventig jaar na de oorlog.

'Als je dat geheimen wilt noemen,' vond Piet, 'dan ken ik nog wel andere verhalen.'

Eva fietste naar huis, haalde nog wat broodjes voor de zondag en bedacht dat John intussen gearriveerd zou kunnen zijn. Bijna opgelucht constateerde ze dat hij er nog niet was toen ze haar fiets had weggezet.

Het was al acht uur geweest toen John arriveerde vanuit

Zwolle. Eva zag door het zijraam van haar woonkamer de auto stoppen voor het gebouw. Een te mooie auto voor een jonge vent, dacht ze. Hij verdiende goed, dat was waar, maar hij hield weinig over van zijn salaris. Geld opzijleggen en op een spaarrekening zetten was iets voor 'gewone' lui, niet voor hem. Volgende maand werd er immers weer een fiks bedrag op zijn rekening bijgeschreven.

Eva had al vaker gedacht dat deze gedachtegang over een aantal jaren een probleem kon gaan worden. Ze besefte deksels goed dat hij slecht met geld kon omgaan, beter gezegd, hij kon het helemaal niet. Daar klaagde zijn moeder ook regelmatig over. 'Houd de hand maar goed op de knip,' had ze weleens gezegd. 'Anders wordt het armoe troef over een aantal jaren.'

Het was zo stilletjes en bijna onopgemerkt de gewoonte geworden dat Eva voor de meeste zaken betaalde. Een etentje, een weekendje weg. 'Je krijgt het zo terug,' werd er altijd bij gezegd. Het kwam nooit terug.

Het had haar vader boos gemaakt. Die hield niet van klaplopen, zei hij meer dan eens. En dat deed John te vaak naar zijn zin.

Eerst had Eva er niet aan gewild. Ach, zo erg was het toch niet. Maar het laatste jaar had ze regelmatig de boot afgehouden als John weer iets voorstelde om te gaan ondernemen. Nee, ze ging niet mee uit eten, geen weekendjes meer weg.

John was laat vandaag, maar dat viel Eva bijna niet op. Normaal zou ze zich ongerust hebben gemaakt en zou ze bang zijn geweest dat er iets gebeurd was onderweg. Hij reed soms te hard naar haar gevoel. Maar haar gedachten waren nu bij opa geweest.

Zodra John binnen was, kwam hij meteen ter zake. Hij had groot nieuws, meldde hij nog voor hij zijn lichte zomerjack had uitgetrokken.

Ze knikte lauw. Ze was moe van het gesjouw van vandaag. Het was ook niet haar normale bezigheid om huiskamers uit te ruimen.

Hij ging uitgebreid zitten en wachtte niet tot ze hem van koffie had voorzien. 'Luister eens, Eva, de zaak heeft mij uitgekozen. Ik kan een jaar in Amerika gaan werken bij het hoofdkantoor in de staat Washington. Dat ligt aan de westkust van Amerika.'

Ze knikte. Dat was haar bekend, zei ze stuurs. Het drong niet helemaal tot haar door. John naar Amerika, zo zo.

'Het is onvoorstelbaar belangrijk voor mijn carrière. Internationale ervaring, zie je…'

Natuurlijk was het belangrijk, dacht ze sceptisch. Anders zou hij het niet eens noemen. Toen fronste ze haar wenkbrauwen. John naar Amerika? Voor een jaar? Dat was een hele tijd. Nou ja, tegenwoordig met al die moderne communicatiemiddelen…

Ik vind het niet eens erg dat ik hem een tijdlang niet zal zien, schoot het door haar heen. Hij mag best een jaar vertrekken, daar zit ik eigenlijk niet mee.

'Meid, jij kunt mee. Ik mag mijn vrouw meenemen.' Hij keek haar triomfantelijk aan met een blik van 'wat zeg je me dáár van?'

Ze keek hem bevreemd aan. 'Je vrouw?' vroeg ze verrast.

'Ja, er moet wel eerst getrouwd worden, anders krijg jij geen greencard voor Amerika. Je mag ook niet werken in Amerika. Meid, moet je eens denken aan die kans…' Hij was enthousiast, zag ze. Ja, het was misschien ook wel een mooie kans voor hem.

Maar Eva kreeg het gevoel dat ze een draai om de oren had gekregen. Het was een complete overval. Ze had aan heel veel mogelijkheden gedacht toen hij meldde dat hij groot nieuws had, maar niet aan dit: trouwen.

Ze hief haar hand op. 'Hoho, je gaat mij te snel, John. Trouwen, naar Amerika, toe maar. Sinds wanneer ben jij een voorstander van trouwen? Dat is toch iets voor ouderwetse mensen, die nooit van de moderne tijd hebben gehoord, zeg je altijd. Jij wilt dat niet, toch?'

Hij keek even onaangenaam verrast op en wuifde haar woorden weg. 'Het kan niet anders, er moet eerst getrouwd worden. Nou, dat is toch niet zo'n probleem?'

'Geen probleem? Wie zei nog geen maand geleden dat hij nooit zo'n stap zou zetten? Mijn moeder wilde weten of er ooit nog een bruiloft in zat, weet je nog? Ja, die is ouderwets, die houdt niet van dat los-vaste gedoe.'

John haalde zijn schouders op. 'Ik trouw wanneer het mij uitkomt.'

Ja, dacht Eva, dat klopt. Alleen wanneer het jou uitkomt, en het komt je nu blijkbaar uit. Ze ging er even bij zitten.

'Ik wil het eerst rustig bekijken. Dus jij kunt voor een jaar naar Amerika. Hoe komt dat zo ineens? Werd dat vrijdagmiddag om vijf voor vijf even tussen neus en lippen door meegedeeld?'

Hij zweeg even, toen zei hij wat onwillig: 'Een aantal maanden geleden werd bekend dat er twee mensen een jaar naar Amerika mogen gaan. Ik heb me daar toen voor aangemeld.'

Ze keek hem stroef aan. 'Je hebt er nooit over gesproken.'

'Ik wist niet of ik daarvoor in aanmerking zou komen. Je kunt alles wel gaan rondbazuinen...'

'John, een opmerking als "ik heb me aangemeld voor een jaar in Amerika" is niet hetzelfde als alles rondbazuinen, zoals jij het noemt. En bovendien lijkt het mij ook heel zinnig om al vóór die aanmelding je aanstaande daarvan op de hoogte te stellen, zodat het een project van beiden wordt als het eventueel zou doorgaan.'

Hij zag het probleem niet, zei hij. 'Zo'n kans, en dat in deze tijd,' vulde hij aan. 'We gaan trouwen en dan kunnen we met z'n tweetjes op avontuur naar Amerika.'

Eva fronste haar wenkbrauwen en keek hem met open mond aan. De consequenties van zijn woorden drongen nu pas echt tot haar door. Trouwen, naar Amerika voor een jaar? Had hij niet eens nagedacht over wat dat allemaal voor háár betekende? Dat zij ontslag moest nemen uit haar baan. Ze zat midden in een cursus van twee jaar, ze moest nog een halfjaartje. Ze moest de huur van haar woning opzeggen.

'En wanneer zou je moeten vertrekken?' vroeg ze langzaam.

'Over twee maanden,' kwam hij meteen. Hij was er vol van, zag ze. Ja, het was ook een mooie kans voor hem, dat zou ze niet ontkennen.

'Over twee maanden? Dat kan niet, ik heb een opzegtermijn van twee maanden voor mijn werk. Voor deze flat trouwens ook.'

'Daar is wel een mouw aan te passen,' vond hij zorgeloos. 'Anders koop je het af.'

Ze stond abrupt op. 'Je vraagt nogal wat. Ik moet ontslag

nemen, mijn cursus afbreken. Ik moet dan weer helemaal opnieuw beginnen als ik terugkom, en dan moet ik ook nog een pas-
sende werkkring hebben, anders kan ik die cursus niet eens
volgen. Het is wel de vraag of dat volgend jaar lukt onder deze
economische omstandigheden. Zo goed ziet het er niet uit met
die toenemende werkloosheid.'

'Nou, èn? Dat baantje van je…'

Ze werd boos, merkte ze. Goed, het was geen topfunctie, het
betaalde geen topsalaris, maar ze kon zich ermee redden. Ze deed
het werk ook graag, al vond ze wel dat ze soms onderbetaald
werd vergeleken met een collega. Als ze straks die cursus met
goed gevolg had afgemaakt, werd het een stuk beter, had de chef
haar verzekerd.

'Ik kan ook geen jaar lang deze flat aanhouden en betalen. Die
ben ik dan ook kwijt, en ik woon hier graag.'

John zuchtte. 'Wat zijn dat nou voor argumenten? We gaan
trouwen. Je hebt deze flat niet meer nodig. Ik houd die van mij
aan, en als we terugkomen uit Amerika kunnen we daar zo weer
intrekken.'

Iets in haar waarschuwde haar. Hij heeft het allemaal al op een
rij staan, hij heeft het allemaal al uitgedacht zoals het hem het
best uitkomt. Jij moet alles opgeven, meid. Hij niks. Jij bent
straks helemaal afhankelijk van hem. Het is de vraag of jij, als je
weer terug bent in Nederland, snel weer een baan zult vinden. De
werkloosheid stijgt elke week, als je de krant moet geloven.

Je wilt hier al niet gaan samenwonen, laat staan daarginds. Je
kent daar geen mens, je kennis van het Engels is niet volmaakt.
Je hebt niemand in Amerika om op terug te vallen, je zit daar in
een vreemd land waar je nog nooit bent geweest. Je familie blijft
in Nederland achter. Je mag daar niet werken, je zit je stijf te ver-
velen want John zit de hele dag op zijn werk.

Niet doen! Het schoot door haar heen. Niet doen. Je moet te
veel opgeven. Zou hij ook zijn baan voor jou opgeven als jij naar
Amerika of een ander ver buitenland zou kunnen voor je baas? In
geen honderd jaar, wist ze ineens zeker.

Denk verder, meid. Stel je voor dat je daarginds helemaal niet
kunt aarden. Het is een ander land met een andere mentaliteit.

'Ik wil daar eens rustig over nadenken, er met mijn ouders over praten,' zei ze. 'Ik zeg daar zo geen ja op. Je vraagt nogal wat van mij.'

'Wat dan? Die baan van jou stelt niet zoveel voor. Die flat...' Hij keek misprijzend rond. Te klein naar zijn oordeel.

'Maar die baan is wel van mij en hij maakt me onafhankelijk, John,' zei ze ernstig.

'Nou, ik had een andere reactie verwacht. Ik had gedacht dat je blij zou zijn. Je kunt iets van de wereld gaan zien...'

'Ja, en als jouw vrouw word ik volkomen van jou afhankelijk.' Ze zweeg. Hoe zou dat gaan, dacht ze.

'Nou, ik beloof toch dat ik voor je zal zorgen,' probeerde hij jolig.

Ze reageerde niet. Mijn moeder zou zich geen moment bedenken, dacht ze ineens. Ach, die is van een andere generatie.

Ik moet het er met de familie over hebben, met Koos bellen, dacht ze. Die is nuchterder in dat soort zaken. Misschien zie ik het toch verkeerd en hecht ik te veel aan mijn onafhankelijkheid. Misschien denk ik er morgen anders over. Hij stelt me nu voor een voldongen feit en dat is niet netjes van hem. Maar ik moet wel goed nadenken...

'Het spijt me, John,' zei ze toen vastberaden. 'Ik vind dat je erg veel van me vraagt. Ik moet alles achterlaten voor jou. Ik moet alles opgeven waar ik aan hecht.'

'Je hebt mij toch...'

Ja, dacht ze. Ik denk niet eens aan het feit dat ik met hem meega, dat hij mijn man zal zijn. Met z'n tweetjes als jong echtpaar op stap naar Amerika...

Waarom ben ik zo afwijzend? Of is het een kwestie van houden van? Vertrouw ik hem genoeg om mijn hele hebben en houden in zijn handen te leggen? Ik ben nu al zo afstandelijk als het om het geld gaat. Ik weet het niet meer...

John vertrok een uur later wat gebelgd, merkte ze. Hij had verwacht dat ze even enthousiast zou zijn als hij. Ze had een behoorlijke domper op zijn humeur gezet. Nee, hij was morgen druk bezig. Hij kwam niet. De papieren moesten zo snel mogelijk ingevuld worden en er kwam nogal wat bij kijken.

Hij gaat gewoon zonder mij, dacht ze toen ze hem nakeek. Het is mooi dat ik mee zou willen, maar nodig is het niet. Zou hij dat hele plan opgeven als ik hem dat zou vragen? Nee, zeker niet.

Ze voelde zich niet prettig, niet alleen om dit, maar om een heel aantal zaken. Nare dingen kwamen ook zelden alleen.

Maar goed, morgen zou ze het er met haar ouders over hebben. En zo dringend was het nou ook weer niet, ze had nog even tijd om een oordeel te vormen.

Opa... Opa uit Drenthe. Opa zou het afraden, wist ze ineens. Haar gedachten dwaalden af. Het was ook een enerverende week geweest. Opa's overlijden vorige week, zijn begrafenis, de ontruiming van zijn kamer.

Opa, was jij ook zo wantrouwend toen je naar Twente kwam? Wat dreef jou eigenlijk hiernaartoe? Je ontmoette er oma. Het beste wat je ooit overkomen is, zei je meer dan eens. Maar dat wist je niet toen je als volwassen man vertrok van je geboortegrond. Het duurde nog een aantal jaren voor je trouwde. Je moet die eerste tijd behoorlijk eenzaam zijn geweest tussen die stugge Twentenaren.

Wat heb je in de oorlog meegemaakt, opa, bij die Duitse boer? Was het een echte nazi? Werd je slecht behandeld? Een trauma, zei die oude vriendin van je. Ze weet heel wat meer dan wij, je eigen familie.

Eva zuchtte diep en keek op de klok. Halfelf. Zaterdagavond. Ze schonk zich een beker melk in en zette de televisie aan. Ze bleef nog een uurtje kijken naar een Amerikaanse misdaadserie en stond toen op.

Ze ging naar bed.

Die zondagmiddag wandelde ze langzaam naar haar ouderlijk huis. Het voelde wat onwennig, merkte ze. Op zondag gingen haar ouders meestal 's middags naar opa. Dat deden ze al jaren, vroeger naar zijn woning, later naar het tehuis. Dat was nu voorgoed afgelopen.

Moeder had rond lunchtijd gebeld. Ze was verbaasd Eva thuis aan te treffen. Was ze niet in Zwolle? Nee, ze was thuis, meldde ze. En John kwam vandaag niet.

Toch geen ruzie, kwam het meteen bezorgd.

Nee, nee, maar wel iets anders.

Of ze 's middags nog even kwam?

Ze glimlachte voor zich heen. Moeder zag ergens onbewust de bui hangen, dacht ze. Telkens als er iets anders ging dan moeder dacht dat het zou moeten gaan, kwam ze met waarschuwingen. Eva, je hebt een goede vent. Speel niet met je geluk... Het is toch niet normaal dat John in Zwolle blijft en jij hier? Ik snap die jongelui van tegenwoordig niet meer.

Vooruit, vader Piet was er ook nog en die knipoogde een keer en dan was het voorbij.

Moeder wachtte al bij de deur.

'Eh, voor je begint, er is niets aan de hand, hoor,' zei Eva meteen.

Sonja zweeg. Ergens was ze niet gerust, nooit geweest ook. Eva was niet zo druk bezig met verkering en uitzet en koekeloeren in tijdschriften voor mooie bruidsjaponnen. Het interesseerde haar weinig. Toen Eva verteld had over haar cursus van twee jaar, had Sonja dat grote onzin gevonden. Waar had ze die cursus nou voor nodig? Eva liep al naar de dertig. Haar biologische klok ging tikken. Wat moest zij nog met zo'n cursus? Straks als er kinderen kwamen...

Zelfs Piet had vreemd opgekeken. 'Wat krijgen we nou, Sonja? Wat is dat voor een mentaliteit die je tentoonspreidt? De jaren vijftig liggen achter ons, hoor, al bijna zestig jaar. Er zijn duizenden redenen waarom Eva die opleiding volgt. Eén op de drie huwelijken redt het niet, de sociale zekerheid is compleet uitgekleed in de loop der jaren. Je moet je kansen berekenen en vasthouden, dat geldt voor vrouwen misschien nog wel meer dan voor mannen.' Ja, vader was vrij materialistisch, maar hier had hij een punt.

Sonja had koppig gezwegen. Ze geloofde die moderne praat gewoonweg niet.

Nu sloot ze de deur achter haar dochter en schonk snel een kopje thee in. 'Het is vreemd dat we nu op zondagmiddag gewoon thuisblijven,' mompelde ze.

Eva knikte. Ze kuchte en zei ineens: 'John kan voor een jaar naar Amerika uitgezonden worden voor zijn bedrijf.'

Beide hoofden werden met een ruk opgeheven. 'Zo?' vroeg Piet. 'Enne...'

'Ik kan mee, als ik dat wil.'

Sonja slikte iets weg. Haar dochter een jaar naar Amerika. Dat was geen kleinigheid.

Piet legde het tijdschrift waarin hij had zitten bladeren met een ruk terzijde. 'Wat wil jij?' vroeg hij toen rustig.

Eva haalde haar schouders op. 'Hij gaat al over twee maanden. Er moet een heleboel gebeuren als ik mee zou gaan, zoals je zult begrijpen.'

Sonja verbleekte zichtbaar.

Eva keek haar moeder aan. 'Er moet voor die tijd nog getrouwd worden als ik meega. Ik kom er anders niet in.' Ze zei het expres wat ongenuanceerd.

Piet keek zijn dochter onderzoekend aan. 'Moet hij daar naartoe of wil hij dat zelf?'

'Hij heeft zich een halfjaar geleden opgegeven voor uitzending. Er mogen twee mensen vanuit Nederland voor een jaar naar het hoofdkantoor in de staat Washington. Hij is een van de twee.'

Piet knikte. 'Heeft hij het al vaker met jou gehad over die mogelijkheid? Dan had je dat weleens mogen zeggen. Ik heb je er namelijk nooit over gehoord.'

'Nee, ik werd gisteravond geconfronteerd met het feit dat hij de gelukkige is. Ik had er ook nog nooit een woord over vernomen.'

'Juist.' Piet keek even nadenkend voor zich uit. 'Dus als jij meegaat, moet jij ontslag nemen, je flat opzeggen en je moet stoppen met die cursus. Dat is dan weggegooide tijd en weggegooid geld.'

Hij begrijpt het, dacht Eva. John offert er niets voor op. Het moet allemaal alleen van mijn kant komen.

Sonja sprong overeind. 'Naar Amerika nog wel. Wat moet hij daar eigenlijk doen?'

'Het is heel goed voor zijn carrière,' zei Eva met een uitgestreken gezicht.

'En funest voor de jouwe,' vulde Piet aan.

'Dat baantje van mij stelt toch niks voor,' zei ze schamper.

Piet keek haar strak aan. Hij zag haar gezichtsuitdrukking en begreep het. 'Zo, zegt hij dat?' Hij zweeg verder. Het was ook duidelijk hoe hij erover dacht.

Sonja rommelde iets in de vensterbank en keek om. 'Maar als je getrouwd bent, is het toch niet zo'n probleem om je baan op te zeggen en je flat? Toen ik trouwde was dat bijna verplicht om te doen. Het was normaal, je werd huisvrouw. Ja, ik weet wel dat het tegenwoordig anders ligt, maar John heeft toch een inkomen en een baan?' Ze ging weer zitten en verschikte iets aan haar rok. 'Ik zou zeggen: je bent maar één keer jong. Het is een mooie kans en je gaat trouwen…' Ze zweeg ineens. Dat was ook voor het eerst dat John bereid was die stap te zetten, zag Eva haar denken. Toch ter elfder ure van gedachten veranderd, dat was mooi.

Piet staarde zijn vrouw aan. Hij gaf geen commentaar.

'De bruiloft kan snel worden georganiseerd. Je houdt toch niet van een groot feest,' begon Sonja voortvarend. Je moest het ijzer smeden als het heet was, was haar devies.

'Daar gaat het niet om, vrouw. Trouwen is geen probleem, dat kun je op een rustige maandagmiddag nog wel even doen. Dat is met een halfuur bekeken,' zei Piet koeltjes.

'Nou zeg, het is een belangrijke stap…'

'Zeker, daarom moet je ook goed overwegen wat je wel en wat je niet moet doen. Als ik Eva zo bekijk en aanhoor, voelt ze weinig voor "Amerika", om het zomaar uit te drukken.'

'Je kunt John niet alleen laten gaan,' protesteerde Sonja. 'Dat accepteert hij niet.'

'Waarom niet? Hij kon het ook allemaal alleen regelen. Pas toen alles in kannen en kruiken was, werd Eva even tussen neus en lippen door op de hoogte gebracht. Ik zal je één ding zeggen, Eva: als je meegaat, verbrand je al je schepen achter je.'

Eva knikte. Ja, dat had ze ook al bedacht.

'Als je niet meegaat, is het hoogstwaarschijnlijk einde relatie. Dit is dus een besluit waarover goed nagedacht moet worden. Het heeft allebei grote consequenties.' Piet zweeg.

Haar moeder schrok ervan, zag Eva. Eva zelf schrok eigenlijk minder. Vader had gelijk. Er was weinig keuze, meegaan of einde story, besefte ze.

Vader begon zich op te winden, merkte Eva toen. Ze voelde zich wat prettiger. Ze was gelukkig niet de enige die bezwaren zag. Daar was ze een beetje bang voor geweest.

'Maar ze gaan al enkele jaren met elkaar om. Het wachten is op de trouwerij,' zei Sonja.

'John was geen voorstander van trouwen. Waarom nu ineens wel? Het geeft te denken dat hij meteen overstag gaat als het woord "Amerika" klinkt.'

'Ze kan nu geen nee zeggen. Dat kan ze toch niet maken?' vond Sonja.

Was het dat, dacht Eva ineens. Zit ik te wachten op een trouwerij? Of houd ik juist de boot af?

'Het feit dat John er met geen woord over rept tegen zijn aanstaande vrouw in al die weken dat die procedure loopt, zegt mij genoeg,' vond Piet kort. 'Je moet het zelf beslissen, maar ik zou er eens diep over nadenken.'

'Je overdrijft,' vond Sonja. 'Wat is Amerika nou? Tegenwoordig kun je elk uur van de dag in het vliegtuig stappen en je vliegt er met een paar uur heen.'

'Ja, dat kon je wel zien toen je vader werd begraven. Henk kon geen vlucht naar Nederland bespreken, zelfs niet met een omweg,' bromde Piet. 'Nee, het gaat om Eva, die ondertussen wel mooi haar werk en haar flat kwijtraakt als ze ja zou zeggen. Volgens mij mag je daarginds geen betaalde arbeid uitoefenen, of wel?'

'Nee, ik mag er niet werken.'

'Nou, hij zorgt toch voor je,' gooide Sonja ertussen.

'En wat als blijkt dat je na een paar maanden wel terug wilt zwemmen?' vroeg Piet langzaam. 'Kun je dan terug? Nee, want je bent getrouwd en hier is niets meer. Ja, je ouwelui, maar geen werk, geen huis en geen toekomst. Je moet opnieuw beginnen.'

'Wat moet ze dan? Net als mijn moeder hier blijven toen mijn vader jaren geleden voor maanden naar Zuid-Afrika werd uitgezonden voor de textielfabriek?'

Eva keek verbaasd op. 'Wat zeg je me nou? Opa is naar Zuid-Afrika geweest?'

Sonja knikte heftig. 'Ja, hij is daar bijna een jaar geweest toen hij een paar jaar getrouwd was. Oma was zwanger van mij, en ze heeft dat hele jaar hier alleen gezeten met de kinderen. Toen ik geboren werd, zat opa in Zuid-Afrika.'

'Daar wist ik niets van,' zei Eva nog steeds verbaasd.

'Dat gebeurde toen heel vaak. Er zijn geregeld wevers van deze fabriek voor een tijd naar Zuid-Afrika gegaan. Daar had de directie een fabriek. Opa heeft dat ook gedaan. Mijn moeder vond die scheiding niet echt leuk, hoor.'

Piet schudde zijn hoofd. 'Maar je moeder hield het thuisfront in stand. Zij gaf in wezen niets anders op dan dat ze haar man een klein jaar moest missen. Je vader kreeg een flinke opslag en je ouders hebben met z'n tweeën het besluit genomen. Je moeder drukte het erdoor, je vader twijfelde veel meer. Dat heeft jouw moeder me zelf verteld. Zij accepteerde het feit dat ze hier een jaar alleen zou zitten en dat haar man het nieuwe kindje pas maanden later voor het eerst op de arm zou hebben. Ze konden het geld namelijk goed gebruiken. Het waren de jaren vijftig en het was nog lang geen weelde zoals nu, ook al hebben we het steeds over crisis en slechte jaren.'

'Nou, mijn moeder heeft het er zwaar mee gehad.'

'Ja, natuurlijk. Het waren andere tijden dan nu. Een vrouw werd niet geacht alleen te zitten en voor de kinderen te zorgen, daar hoorde een man bij in die tijd. Maar dat wist ze van tevoren en daar heeft ze nooit over geklaagd, Sonja, al was het niet eenvoudig.' Piet zette gedecideerd zijn kopje op de kleine tafel. 'Dat John naar Amerika wil, is een andere kwestie. Natuurlijk is het goed voor hem, maar hij had moeten zeggen dat hij zich wilde aanmelden, ook al was de kans niet groot dat hij het zou worden. Dan had Eva zich rustig kunnen voorbereiden op een eventueel vertrek. Dan had ze in alle rust het besluit kunnen nemen. Nu wordt ze voor het blok gezet. John gaat naar Amerika en ze "mag" mee onder voorwaarde dat ze alles achterlaat. Dat is niet eerlijk van John.' Vader was heftig voor zijn doen, hij was geen man van zulke lange verhalen. Het moest hem hoog zitten.

'Ze had al veel eerder moeten trouwen,' mopperde Sonja. 'Dat los-vaste gedoe is toch niks waard. Daar krijg je alleen maar narigheid mee. Nou moet er halsoverkop getrouwd worden. Je hebt niet eens de tijd om rustig rond te kijken naar een aardige locatie. Als die tenminste nog te krijgen is op zo'n korte termijn. Je trouwjurk komt niet klaar in een paar weken. Ik zal morgen direct eens even bellen met de bruidszaak in het dorp.'

'Wie zegt dat er getrouwd wordt?' vroeg Eva ineens. 'Ik wil daar heel rustig over nadenken. Ik neem echt geen overhaast besluit. Misschien kom ik tot de conclusie dat ik hier moet blijven. Nou, dan gaat hij maar alleen.'

Sonja keek haar geschokt aan en zweeg van schrik. Piet knikte goedkeurend.

4

Eva was moe thuisgekomen. Haar ouders waren het niet met elkaar eens geweest. Dat waren ze wel vaker niet, dat was niets bijzonders. Moeder liet zich graag leiden door haar emoties en gaf zelden toe dat een zaak ook een andere kant had, die net zo belangrijk was.

Piet had zijn dochter op het hart gedrukt zich vooral niet te laten opjagen. Het was een besluit dat haar hele toekomst omvatte en ze zou licht de verkeerde keuze kunnen maken. Het leek mooi, een jaartje Amerika, maar het was de grote vraag of het waard was om er alles voor achter te laten.

Trouwen kon je op je vijftigste nog. Naar Amerika gaan ook. Als John zo weinig rekening hield met zijn partner, was het zaak om dubbel uit te kijken.

Sonja vond het onzin. John moest aan zijn toekomst denken. Dat stuk internationale ervaring was heel belangrijk voor hem. Je ging samen dat avontuur aan. Eva en John waren al een paar jaar een koppel. Ze wisten nu toch wel wat ze aan elkaar hadden?

Daar zeg je iets, moeder, dacht Eva. Ik weet juist níét wat ik aan hem heb.

Zodra Eva thuiskwam pakte ze de telefoon. Even met Koos en Danny babbelen. Wat zouden die zeggen? Doen, meid, zo'n kans krijg je niet gauw weer? Of iets anders?

Danny meldde zich. Koos was er niet, die was naar de kerk.

De kleine meid lag in bed en Danny zat televisie te kijken, meldde ze opgewekt. Ze hadden zaterdagavond nog wat spullen van opa neergezet en ze waren er blij mee, vooral met de kleine kast, die in de hal was neergezet. Die paste zo perfect, daar waren ze verbaasd van.

'Is er iets?' vroeg Danny toen. 'Is alles goed? Je moet één ding weten: opa heeft een lang en redelijk goed leven gehad. Er is weinig narigheid in zijn leven geweest, zoals ziekte en dood.'

'Ik weet het, maar er is iets anders,' zei Eva langzaam. Ze vertelde wat John had voorgesteld.

Het bleef stil aan de andere kant van de lijn.

'Wat denk jij? Zie ik te veel beren op mijn weg? Pa en ma zijn het volslagen oneens met elkaar,' voegde ze eraan toe.

Danny kuchte. 'Je zet me wel voor het blok, meid. Je kent mijn gedachten over John. Je moet een goede, stevige relatie hebben om het daarginds te kunnen rooien met elkaar. John houdt geen enkele rekening met jou, dat heeft hij nooit gedaan. Daar wil je niet aan, maar dat is wel zo; dat zie je nou ook weer. Ja, ik weet het, ik ben bevooroordeeld. Dat zegt je moeder ook, maar alles dient te gebeuren zoals hij het zich uitgedacht heeft, en zo gebeurt het ook. Je bent anders ook niet zo gemakkelijk in het toegeven, maar bij hem laat je je in de hoek drukken. Dat is me meer dan eens opgevallen.'

Eva speelde met de draad van de telefoon. Danny zei het ronduit, maar er zat een kern van waarheid in, besefte ze.

'Het is een feit dat John nooit wilde praten over een trouwdag, en dan nu halsoverkop wel trouwen, alleen omdat John voor een jaar naar Amerika wil?' Danny zweeg veelbetekenend.

'Als ik niet mee wil, gaat hij alleen,' zei Eva ineens.

'Ja, dat denk ik ook,' kwam het nuchter.

Danny was net als vader Piet, dacht Eva toen ze de telefoon neerlegde. In wezen zeiden ze allebei wat Eva zelf ook dacht.

Ze zuchtte even en stond op om de televisie aan te zetten. Gewoon kijken naar een oppervlakkig programma zonder te hoeven nadenken, dacht ze. Morgen zien we dan wel weer.

In de loop van de week die volgde speelde maar één ding door Eva's gedachten: Amerika.

Toen ze in die week naar de cursus ging, dacht ze: heeft het nog zin om te gaan, of laat ik het hierbij? Ruim anderhalf jaar voor niets… Al mijn tijd erin gestoken, en goedkoop is die cursus ook niet.

Ik wil het afmaken, dacht ze ineens. Deze cursus is voor mij minstens zo belangrijk als dat jaar in Amerika voor John.

Ze repte tegen niemand over de kansen, over eventueel stoppen, over ontslag nemen. Soms was het moeilijk om er niet met een collega over te beginnen.

Ze nam woensdagmiddag in een opwelling vrij. Gewoon om eens te winkelen in Zwolle en nergens aan te denken. Maar het hielp niet. Hoe zou het gaan in Amerika? Moest ze daar haar tijd zien door te komen met winkelen, shoppen tot ze het ging verafschuwen?

Ze was helemaal geen type om winkels af te sjouwen. Kleding interesseerde haar matig. Als ze iets moest hebben, ging ze gericht op zoek en vaak in de winkels die ze kende.

Tegen zes uur was ze terug in de flat. Lusteloos maakte ze het eten klaar, en terwijl ze met het bord op schoot bij de televisie zat, kwam weer de gedachte in haar op: als ze niet meeging naar Amerika, zou dat het einde van de relatie met John betekenen.

Vind je dat erg, dacht ze. Ze voelde iets van zekerheid in zich opkomen. Nee, dacht ze, daar kom ik wel overheen.

Ze glimlachte. Geen handvol maar een land vol, zou Koos zeggen.

Het zou haar wel spijten, dacht ze toen. Het zou ook pijn doen. Ze kenden elkaar al twee jaar. Ze had hem ontmoet in Zwolle. Van het een kwam het ander. Haar hele kennissenkring kende John inmiddels. Hij was een getapte figuur, hadden anderen weleens gezegd. Ze was er toen niet zeker van of dat als gunstig moest worden uitgelegd of niet.

Ze zette haar bord op de grond naast de bank en zuchtte diep. Wat trok het hardst? Amerika met John of haar leven hier?

Ze schrok op toen ze even weggedommeld was en ineens de bel hoorde. Wat verwilderd kwam ze overeind. Wie stond er beneden aan de voordeur bij de ingang?

Het beeldscherm naast de intercom toonde een vriendin, en Eva zuchtte. Toe maar. Ze kende de reden waarom de vriendin voor de deur stond. Die kon ze op dit moment missen als kiespijn. Ze drukte op de knop om de deur van binnenuit te openen. Daarna liep ze naar de deur van haar appartement om die te openen zodat de nieuw aangekomene meteen naar binnen kon lopen.

'Hoi,' riep een stem even later. Eva riep terug.

Een paar seconden later liep Inez Zandink de kamer in waar Eva op de bank zat. 'Zo, laat terug van je werk?' vroeg ze met een knik op het bord naast de bank.

'Nee, gewoon nog even wat winkels bekeken.'

Inez liet zich zakken in de gemakkelijke stoel bij de deur. 'Ja,

42

ik kom zomaar binnenvallen. Ik heb geen goed nieuws.'

Ze zag er slecht uit, vond Eva en dat verbaasde haar niet. Inez zag er altijd slecht uit. Ze lette ook niet echt op haar kleding, en haar haar zag eruit alsof het dagen niet gewassen was. Ook geen wonder, wist Eva. Inez had een slecht huwelijk, ze had de verkeerde man getrouwd. Dat was voor iedereen in haar omgeving zo helder als glas, alleen zij wilde het niet zien. Ze was nog maar een paar jaar getrouwd en had geen kinderen. Bewust niet, zoals ze onlangs nog had gezegd.

Eva had weleens gevreesd dat haar oude vriendin slaag kreeg van haar man. Ze had hem nooit gemogen en was na het huwelijk ook nog maar zelden bij haar vriendin thuis geweest. Ze werd de deur uit gekeken door Inez' echtgenoot, en dat deed hij bij iedereen.

Eva staarde haar aan. 'Je stopt ermee,' zei ze enkel. Voor de zoveelste keer, voegde ze er in gedachten aan toe.

Inez knikte. 'Ik ben afgelopen zaterdag vertrokken. Mijn broer heeft me opgehaald.'

Eva zweeg. Ze had het al verwacht. Ze had het zelfs al eens gezegd tegen Inez. 'Wat jij hebt is geen huwelijk, dat is een slavenbestaan. Jij werkt en je moet de huishouding doen. Hij steekt geen poot uit, hij werkt zelfs niet eens. Je krijgt stank voor dank. Om over de rest maar te zwijgen. Je hebt een parasiet op je rug zitten, meid.'

Inez was boos geworden en ze had zich een tijdlang niet laten zien. Later kwam ze bedremmeld terug met de mededeling dat Eva gelijk had. Maar niet iedereen trof het zoals Eva met haar John, had ze nog opgemerkt.

Je moest eens weten, meid. Maar ze zou Inez vanavond niet lastigvallen met haar problematiek.

'Hoe nam hij het op?'

'Nou ja, dat weet je wel: ik kwam er niet meer in, zoals hij schreeuwde.'

'Dat wil je toch ook niet?' vroeg Eva wat balsturig.

Inez lachte triest. 'Vanmorgen belde hij met mijn moeder. Hij had er zo'n spijt van. Ik moest terugkomen.'

'En wat zegt je moeder? "Doen, kind, ga gauw terug"?' Eva zei het spottend, ze wist wel beter.

Inez schudde haar hoofd. 'Integendeel. Weet wat je doet, zei ze. Ze hebben altijd spijt en ze huilen tranen met tuiten. Je bent nog niet binnen de deur of het oude leventje begint van voren af aan. Geloof het gewoon niet.'

'Je moeder heeft gelijk,' knikte Eva. 'Dat weet je van de vorige keren.'

Inez stemde ermee in. Ze bleef zwijgend voor zich uit staren.

'Ik ga koffiezetten. Dat helpt het best tegen narigheid. Vertel maar,' noodde Eva.

'Kun jij je voorstellen hoe opgelucht ik ben?' vroeg Inez met samengewrongen handen.

Eva zweeg. Dat was ook een opmerking die ze al vaker gehoord had.

'Maar het is niet de bedoeling dat je uit elkaar gaat...' kwam het erachteraan.

'Nee, maar soms kan het niet anders. Dan moet je de keuze maken tussen eraan onderdoor gaan of voor jezelf kiezen.'

'Het was niet altijd slecht...' begon Inez meteen.

'Die eerste weken zijn het zwaarst, dat heeft iedereen jou de vorige keer ook al verteld.' Eva zette het koffiezetapparaat aan.

Het is ook niet gemakkelijk om een huwelijk te beëindigen, dacht ze, wachtend tot de koffie doorgelopen was. Je laat alles achter en je moet opnieuw beginnen, meestal met een lelijke schuldenlast als erfenis. Inez heeft geen rooie cent. Ze zit straks bij haar ouwelui aan de tafel of op een schamel flatje in een slechte buurt. Ik moet haar niet te hard aanpakken, al klinkt haar klaagzang net zo vals als bij vorige gelegenheden.

'Mijn vader zegt dat er vroeger geen echtscheidingen voorkwamen. Hij vond dat ik iets had beloofd toen ik trouwde. Een huwelijk wordt in de hemel gesloten... Tja, hij is ouderling in de kerk.'

Eva glimlachte cynisch. 'Maar weet je vader ook hoeveel mannen en vrouwen er vroeger gestorven zijn van verdriet omdat ze geen kant op konden met hun slechte huwelijk? Daar zijn helaas geen statistieken van.'

'Ik heb het echt weer geprobeerd, Eva,' zei Inez zacht. 'Ik heb het echt geprobeerd, maar het ging niet meer.'

'Dat weet ik, meid, dat weet ik. Het is waar: voor ruzie zijn er twee nodig. En hoe krijg je ruzie? Jij zegt iets en ik zeg iets terug. Iemand die dat ontkent, snapt er niet veel van. Jouw fout is simpelweg: je bent te toegeeflijk, en de ander gaat steeds een stapje verder, steeds de grens oprekken. Het zijn niet alleen kleine kinderen die de grens van het toelaatbare opzoeken, we doen het allemaal.' Net als jij met John, schoot het door haar heen. Je mag dan een moderne carrièrevrouw zijn: de grens bepalen tot hoever je wilt gaan, valt je nog steeds moeilijk. Dat geldt voor mijn hele generatie, vooral wat de dames betreft.

Ze schonk koffie in, zette de bekers op tafel en schoof weer in haar hoekje op de bank.

Zwijgend luisterde ze naar de laatste ruzies en ellende van een stervend huwelijk. Inez en haar echtgenoot. Het was al mis voor het begon, dacht ze. Hij nam, zij gaf. Dat ging goed tot de ander protesteerde.

Het was bij hen geen dag goed gegaan. Inez werd geconfronteerd met beslissingen waar ze geen inspraak in had, met uitgaven waarbij ze alleen de portemonnee mocht trekken, met gebeurtenissen die altijd haar schuld waren als er iets mis was gegaan. Zij deugde niet, dat had hij altijd geweten. Dat scheen de meest gemaakte opmerking te zijn binnen de deur.

Was het bij Eva zoveel anders? Zij was er tot nu toe aan ontsnapt door te weigeren samen te gaan wonen. Voelde ze onwillekeurig dat er iets niet goed zat?

Het was bijna elf uur toen Inez vertrok, opgelucht omdat ze haar verhaal kwijt had gekund. Ze bedankte Eva, die het afwimpelde. 'Kom gerust weer,' zei ze enkel.

'De meesten willen het niet horen,' zei Inez nog.

Eva sloot de deur en keek haar vriendin van vele jaren terug na. Ja meid, dat is ook logisch. In jouw verhaal zitten zoveel herkenningspunten voor iedere getrouwde man of vrouw. Niet iedereen wil daarmee geconfronteerd worden. Wie wil er in de spiegel kijken? En bovendien, het verhaal is steeds hetzelfde. We kennen de afloop nu al: jij gaat terug.

Op vrijdagavond haalde Eva altijd de boodschappen. Dan was er koopavond in het dorp en was het gezellig op straat. Ze kwam vaak kennissen tegen en stond dan meestal een tijdlang te praten met deze en gene.

Ze was dit keer op tijd thuis geweest van haar werk, en had nog even met Inez gebeld, die hevig aan het twijfelen was, zoals ze meedeelde. Ze moest hem toch weer een kans geven, vond ze.

Haar moeder was daar faliekant op tegen. Ze moest nu eens een keer doorpakken en stoppen met dat onzalige huwelijk.

'Wat moet ik doen?' vroeg Inez vertwijfeld.

'Jij moet nu niets doen,' zei Eva kalm. 'Je moet eerst tot rust komen, meid. Je moet in alle kalmte je besluit nemen en gewoon blijven waar je nu bent, bij je ouwelui.'

'Dat zegt mijn moeder ook. Maar hij zit daar alleen…'

'Er zitten zoveel mensen alleen. Hij ligt niet onder een brug, hij heeft een degelijk dak boven zijn hoofd.'

Toen Eva de telefoon neerlegde, wist ze het zeker: Inez ging terug, voor de zoveelste keer.

Ze zuchtte en ging boodschappen doen. Ze had niet veel nodig deze week. Er stond nog van alles in de keukenkastjes. Ineens bedacht ze dat ze deze week helemaal niets van John had vernomen. Anders belde hij geregeld of kwam zelfs weleens naar haar toe.

Was hij boos? Beledigd omdat ze niet meteen toegehapt had?

Maar het ergste was: ze had hem niet eens gemist, vol als ze was van al die gedachten over wel of niet meegaan naar Amerika.

Ze was er zelf een beetje beduusd van.

Ze betaalde de boodschappen en liep in gedachten verzonken terug naar huis. Ze kwam dit keer niemand tegen. Nee, het was ook nog vroeg, te vroeg voor shoppen. De meeste mensen zaten nog aan de avondmaaltijd.

Net wilde ze de deur openen toen ze in een flits een auto zag stoppen. Een auto met een Duits kenteken. Opa, de oorlog.

Ze had deze week amper aan haar pas overleden grootvader gedacht. Was hij zo snel vergeten, dacht ze. Hij had alle jaren van haar bestaan deel uitgemaakt van haar leven. Hij was amper een week geleden begraven en nu was hij al vergeten.

Opa...

Dood ben ik pas als je me vergeten bent, zei een dichtregel. Ging het zo vlug? Ze had bij hem op schoot gezeten, hij had haar meegenomen in de trein toen ze nog heel klein was. Hoeveel ijsjes en andere kleine cadeautjes had hij niet voor haar en zijn andere kleinkinderen gekocht? Opa gaf altijd pret, al was hij geen prater. Later werd hij stil en teruggetrokken, en niemand begreep wat er aan de hand was. Iedereen dacht dat het om oma ging, die hij kwijt was en die hij zo slecht kon missen. Maar het was al ruim voor die tijd aan de gang...

Ze bleef de auto even nazien. Ja, het was een OL-nummer. Oldenburg, had de chauffeur van de volgwagen gezegd. Dezelfde beschaafde grijze auto die ze een week geleden had gezien bij de kerk. De jongeman in zijn informele kleding, die op de stoep stond en zwijgend de lijkwagen nakeek en toen lichtelijk verlaten naar de auto liep.

Ze zag hoe de auto een van de parkeerplaatsen op draaide die bij het appartementengebouw hoorde. Ze zag een man uitstappen. Was het dezelfde? Ze zag het niet helemaal goed. De parkeerplaats lag om de hoek naast het gebouw.

Zou ze wachten of doorlopen? Misschien moest hij ergens anders zijn en had ze zich alles gewoon verbeeld. Er stond wel vaker een auto met een Duits nummerbord. Ze had te veel aan haar hoofd: opa twee weken geleden overleden, John met zijn plannen voor Amerika, druk op het werk...

Ze liep naar de hal waar de liften waren. Nu ze een tas vol boodschappen had, koos ze voor de gemakkelijke weg: de lift.

Ze gluurde nog even naar de kleine ruimte die ze net achter zich had gelaten. Nee, er kwam niemand binnen. De man moest zeker ergens anders zijn.

Ze drukte op de etageknop en de lift schoot omhoog.

Ze was haar appartement al binnen en de boodschappen waren al bijna opgeborgen toen ze het geluid hoorde van de bel. Geschrokken keek ze op. Wie was daar? Die onbekende Duitser, of was het toch een bekende?

Ze liep naar de intercom en keek wie er stond. Ze zag een jongeman met donkerblond haar dat sterk krulde en tot over zijn oren reikte. Een open blik in de blauwe ogen, gekleed in iets wat leek op een regenjas. Niet het type van een verlopen figuur.

'Ja?' vroeg ze wat kortaf.

'*Gutenabend*,' klonk het vriendelijk. '*Entschuldigung*, dat ik zo kort na het overlijden van uw grootvader al bij u aanklop…'

Hij wilde haar graag wat vragen, zei hij.

'Ik kom wel naar beneden,' zei ze ineens. Zomaar een wildvreemde kerel naar boven laten komen ging te ver, vond ze. Je kon niet weten wat voor figuren er voor de deur stonden.

Ze graaide de sleutel naar zich toe en liep naar beneden.

Hij stond midden in de kleine ruimte te wachten toen ze de deur opende. Een andere bewoner van het gebouw liep langs haar heen en knikte vriendelijk voor hij verdween achter de gesloten deur. Hij wierp nog even een blik achterom.

De onbekende vroeg meteen of ze de Duitse taal verstond. Hij sprak helaas geen Nederlands, al verstond hij het redelijk goed, voegde hij eraan toe. Hij had vaak met Nederlanders van doen.

Ja, ze sprak redelijk Duits; televisie en het dialect van de streek maakten dat ze geen moeite had met die taal, die ze ook vroeger op school had geleerd.

Hij was rond de dertig, schatte ze. Het haar iets te lang, waarschijnlijk om de intellectueel beter naar voren te laten komen; informeel gekleed onder die overjas, spijkerbroek en fleecejack, losjes over het overhemd heen. Maar het stond hem wel. Het was best een aantrekkelijke vent, dacht ze nog eens, ze had het al eerder gedacht toen hij in de opening van de kerkdeur stond bij opa's begrafenis.

Het leek haar geen man met een functie in de bouw of de administratie. Ze wist niet eens waarom niet.

'Heb ik u al niet eerder gezien?' opende ze de aanval. 'Bij de begrafenis van mijn grootvader?'

Hij knikte tot haar verrassing zonder aarzelen.

'Kende u mijn grootvader?'

'*Nein*, niet persoonlijk.' Hij keek haar recht aan. 'Maar ik heb lange tijd naar hem gezocht.'

Ze keek hem aan met fronsende wenkbrauwen. Naar hem gezocht? Dat begreep ze niet. Waarom zou een Duitser zoeken naar opa? Die onbekende Duitse boer had misschien kinderen en kleinkinderen die contact zochten? Maar dat klopte niet, had de buurvrouw van opa gezegd. Die Duitser was geen familie van die werkgever van opa van lang geleden.

Hij zocht duidelijk naar een manier om het gesprek te beginnen. De man wilde haar iets vragen, besefte ze, iets wat niet eenvoudig leek te zijn.

Ineens draaide ze zich om. 'Komt u maar mee,' noodde ze uit en ze dacht: mens, wat ben je roekeloos. Het kan wel een seriemoordenaar zijn, die zien er ook vaak heel charmant en aantrekkelijk uit.

Houd op, een seriemoordenaar hier in dit dorp in Twente? Ze zijn hier al van de kook als er een fiets gestolen wordt.

De man knikte bijna dankbaar en liep achter haar aan naar binnen, de trap op en naar haar appartement.

Ze zette hem zelfs koffie voor toen hij eenmaal zijn overjas had uitgetrokken en op de bank was gaan zitten.

Ze keek hem vorsend aan. 'Waarom had u belangstelling voor mijn grootvader?' vroeg ze langzaam. 'Hij is twee weken geleden op vijfennegentigjarige leeftijd overleden.'

'Ja, ik weet het, ik was helaas een paar dagen te laat. Ik had hem graag willen spreken. Het heeft lang geduurd voor ik hem had opgespoord…'

Ze staarde hem niet-begrijpend aan. Weer die opmerking. Waarom zocht hij naar opa? Opa was geen belangrijk persoon geweest, boerenknecht was hij vroeger, later textielarbeider. Hij was nooit met justitie in aanraking geweest. Eén keer had hij een bon gekregen omdat hij door het rode stoplicht fietste. Wat was hij toen kwaad geweest op die agent.

'Waarom zocht u zo lang naar mijn grootvader? U zegt dat u hem nooit gekend heeft?'

De man glimlachte bijna schuchter. 'Ik kende hem niet, mijn grootvader heeft hem gekend. *Vor vielen Jahren an der Grenze zu den Niederländen.*'

5

'Wat zegt u?' vroeg ze verbaasd. 'Uw grootvader kende mijn grootvader? Hoezo?' Ging het dan toch om die werkgever van opa, die Duitse boer? Had de buurvrouw van opa het niet goed begrepen?

Allerlei gedachten schoten door haar hoofd. Je grootvader had een trauma. Hij wilde er niet over praten. Had die grootvader van die Duitser opa het leven tot een hel gemaakt? Nou, dan was het knap brutaal van die lui om hier op de stoep te staan...

Waarom had opa nou nooit iets gezegd? Hij wilde over zo veel zaken nooit praten. Hij had in Zuid-Afrika gewerkt voor de fabriek. Daarover sprak ook niemand. Eva moest het horen van haar moeder tijdens een emotioneel moment.

De familie was zwijgzaam over eigen aangelegenheden, dat had ze al vaker gedacht. Er werd weinig gesproken over emotionele zaken. Vroeger niet en nu nog niet. Van de generatie van opa was dat misschien ook wel te begrijpen. Het leven was toen heel anders dan nu. Iedereen kende dezelfde misère, die hoefde je niet extra in de schijnwerpers te zetten.

En nu stond deze man hier met de opmerking: jouw opa heeft mijn grootvader gekend. Wat was de connectie tussen die twee inmiddels stokoude mannen geweest? Als blijkt dat mijn grootvader knap last heeft gehad van die van jou, schop ik je eruit...

Welnee, meid, dan had die vent geen contact gezocht, dan had hij zich koest gehouden. Die nazi's hadden hun leven lang rustig kunnen wonen in Duitsland. Er werd hun geen strobreed in de weg gelegd, zelfs Nederlandse oorlogsmisdadigers hadden geen greintje last in Duitsland of in Zuid-Amerika. De Duitse kopstukken uit die tijd waren ter dood veroordeeld, voor zover ze in handen van de geallieerden waren gevallen. De ergste sadisten uit de bewaking van de kampen ook. Anderen waren er met een tamelijk lichte straf van afgekomen of helemaal niet bestraft.

Wat wilde hij dus eigenlijk?

Ze vroeg het hardop. De man glimlachte. Ineens dacht ze: ik weet niet eens hoe hij heet. Laat ik daar eens naar vragen. Die opmerkingen van hem kunnen wel een gehaaide manier zijn om ergens binnen te dringen.

Doe niet zo panisch, bestrafte ze zichzelf toen. De vent komt voorrijden met een Duitse auto. Het halve gebouw heeft inmiddels het nummer al opgenomen. Ze weten allemaal dat hij hier zit en vragen zich af wat hij hier eigenlijk te zoeken heeft. Morgen staat mijn buurvrouw aan de deur met de vraag: wie was die man?

Ja, wie was hij? Hij nam de moeite om naar de begrafenis te gaan. Hij had van de verzorgster gehoord dat opa was overleden en wanneer de begrafenis was. Hoe kwam het trouwens dat hij redelijk goed Nederlands verstond?

Hij was haar voor. 'Laat ik me eerst eens even voorstellen,' begon hij. 'Florian Schultze is de naam. Ik woon in Oldenburg, goed en wel over de grens bij Groningen. Ik werk aan de Carl von Ossietzky Universiteit daar. Ik kom heel geregeld met Nederlandse studenten in aanraking. Het is maar een klein eindje van de grens.'

De naam ging even aan haar voorbij. 'Carl von Ossietzky?' haperde ze.

'Kent u de naam?' kwam het bijna verrast.

Ze schudde haar hoofd. 'Nee, helaas nooit van gehoord,' moest ze bekennen.

Hij glimlachte. 'Weinigen buiten Duitsland kennen de naam. Carl von Ossietzky was een pacifist in de jaren dertig toen Hitler aan de macht kwam. Hij had Duitsland kunnen ontvluchten, maar weigerde dat. Hij werd een dag na de Rijksdagbrand al opgepakt en opgesloten. Later werd hij naar een concentratiekamp gestuurd, niet ver van Oldenburg. In 1935 kreeg hij de Nobelprijs voor de Vrede. Hij mocht hem niet ophalen van het regiem. Hij stierf in 1938 aan uitputting en tuberculose.'

Ze knikte langzaam. Niet iedere Duitser had achter de nazi's aan gelopen, dat was wel bekend. Dus deze onbekende man werkte aan de universiteit van Oldenburg. Ja, dat was niet ver Duitsland in, al was Eva er nooit geweest.

'De universiteit is naar hem genoemd, nog maar een goede twintig jaar geleden trouwens,' voegde hij eraan toe.

'En uw naam was…' Ze was het helemaal kwijt, dacht ze in paniek.

'Florian Schultze,' zei hij meteen. Zijn ogen twinkelden geamuseerd, dacht Eva. Geen Heinz of Dieter, zoals de meeste Duitsers schijnbaar heetten.

'Ik ben geboren in Dresden, toen nog de DDR. Ik werk nog maar redelijk kort in Oldenburg.'

Ze dacht na. Geboren in Dresden. Het leek haar geen kleinzoon van een fervente nazi. Die zou nooit gaan werken aan een universiteit die naar een tegenstander van Hitler was genoemd. Maar hoe konden de grootvaders elkaar dan gekend hebben? Was opa soms ooit in Dresden geweest? Na de mededeling over Zuid-Afrika moest ze daar niet verwonderd over zijn. Straks kwam de opmerking dat hij nog op expeditie naar de Zuidpool was geweest.

'Ik begrijp niet wat u van mij wilt,' zei ze toen wat onzeker. 'Ik weet eigenlijk niet zoveel van opa's vroegere leven af. Hij wilde nooit iets vertellen over zijn jonge jaren.'

De ander knikte. 'Dat begrijp ik wel.'

'U begrijpt dat wel?'

Hij knikte weer. 'Het is een lang verhaal,' zei hij langzaam. 'Het is ook niet een-twee-drie verteld. Het gaat om de twaalf jaren dat Hitler de baas was in Duitsland.'

Trauma, opa… Hij werkte vrijwillig in Duitsland als boerenknecht. Had hij dan toch narigheid en ellende ondervonden in die jaren?

Hij zag haar verwarring en verbazing. Hij aarzelde ineens. Was het wel verstandig geweest om deze jonge vrouw te overvallen met de geschiedenis van haar grootvader, zo kort na zijn overlijden? Ze was duidelijk niet op de hoogte, en bovendien was hij een Duitser. Hij behoorde tot de vijand als het over de oorlog ging.

'Ik heb u gezien bij de begrafenis,' zei ze ineens.

'Dat klopt. Zoals ik al zei, ik kwam een paar dagen te laat. Het heeft mij en vooral ook mijn vader jaren gekost om alles op een rijtje te krijgen. Pas na de hereniging van Duitsland in 1989 gingen veel archieven open voor onderzoek. De jaren veertig zijn ook niet gemakkelijk geweest. Voor niemand, ook niet voor mijn familie, zéker niet voor mijn familie.'

'De raadsels worden alleen maar groter, meneer Schultze,' zei Eva wat ongeduldig. 'Begint u maar bij het begin.'

Hij knikte gehoorzaam. 'Ik moet dan beginnen voor de oorlog. In januari 1933 werd Hitler rijkskanselier. Kort daarop brandde de Rijksdag af. Een Nederlander had die in brand gestoken.'

Ze voelde iets van wrevel. 'Dat is maar de vraag,' zei ze dwars. 'Van der Lubbe is er in ieder geval wel voor geëxecuteerd.'

'Dat is waar, maar de laatste conclusies van historici zijn toch wel dat hij het gedaan heeft, ook al werd hij voor de kar van de nazi's gespannen. Hoe dan ook, het kwam het naziregime heel goed uit, en Hitler greep die gebeurtenis aan om nieuwe wetten aan te kondigen. Wetten die de vrijheid van de Duitse burger danig beperkten. Zo konden tegenstanders van zijn regiem zonder vorm van proces opgesloten worden onder het mom van staatsvijandigheid.'

Ze luisterde aandachtig. Met enkele woorden had ze soms wat moeite, maar verder kon ze hem goed volgen.

'De gevangenissen waren weldra te klein. Hitler had veel tegenstanders, al geloof je dat niet als je die massabijeenkomsten van toen op oude films ziet. Hij begon al in 1933 met het bouwen van concentratiekampen om de tegenstanders in op te sluiten.'

'Joden, communisten, schrijvers en intellectuelen,' knikte ze. 'Als ze niet maakten dat ze wegkwamen, werden ze opgepakt.'

'Inderdaad. Als ze nog weg kónden komen, want dat was niet eenvoudig. Ze moesten vaak vertrekken met achterlating van geld en goederen.'

Eva knikte nog steeds bevreemd. Ze had over de concentratiekampen gehoord. Over Dachau, Buchenwald en Neuengamme, en vooral over de vernietigingskampen Auschwitz en Sobibór, waar miljoenen mensen waren omgebracht. Maar wat had opa daarmee te maken? Hij werkte vlak over de grens bij een Duitse boer. Daar waren geen concentratiekampen.

Ze zei het hardop.

Ze zag dat Schultze zijn hoofd schudde. 'Er waren een heleboel concentratiekampen langs de grens met Nederland. Vijftien in totaal, gebouwd nog voor de oorlog, van 1933 tot 1938. Men noemt ze de Emslandkampen. Voor Duitsland was de streek langs de Nederlandse grens een uithoek met veel veen, en er woonden weinig mensen. Daar kon Hitler zonder enig toezicht al die lastige tegenstanders kwijt in inderhaast gebouwde barakken. Carl van Ossietzky, die ik al noemde, heeft daar ook gezeten in het kamp Esterwegen. Dat was maar één van de vijftien kampen.'

Hij zweeg een ogenblik. 'Die geschiedenis van de kampen is tamelijk onbekend. Pas de laatste jaren wordt er meer over geschreven en gesproken. Er is sinds enige jaren ook een museum in Esterwegen over die kampen.'

Het was bijna tien uur toen Florian Schultze vertrok. Hij moest nog naar huis, naar Oldenburg, dat was meer dan anderhalf uur rijden.

Eva keek hem na toen hij naar zijn auto liep en nog even de hand opstak in het licht van de lantaarnpaal voor het gebouw. Ze groette terug.

Langzaam ging ze zitten en ze staarde voor zich uit, uitgeput van de verhalen die vanavond verteld waren. Deze verhalen had ze nooit gehoord, ook niet tijdens de geschiedenislessen op school. En zeker niet van opa.

Oorlogstrauma, nu begreep ze het. Ze begreep ook waarom opa nooit iets wilde zeggen. Ze zou het nu ook niet meteen kunnen vertellen aan haar ouders, die ongetwijfeld net zo verbijsterd zouden zijn als zij. Het moest eerst een beetje bezinken.

Wat kon ze met dit verhaal? Wat moest ze er eigenlijk mee?

Dat verborgen stuk geschiedenis vlak aan de Nederlandse grens.

De kampen, die voor de oorlog werden gebruikt voor politieke gevangenen en in de oorlog voor krijgsgevangenen, vooral Russische.

Duizenden mensen waren begraven in die massagraven in dat Emsland. En niemand had er na de oorlog over willen praten. De barakken waren meteen na de oorlog met de grond gelijkgemaakt, de begraafplaatsen vergeten, zo veel mogelijk tenminste. Niemand wilde ermee geconfronteerd worden.

Een stuk zwaarbelast verleden moest zo snel mogelijk vergeten worden. Iedereen had immers boter op zijn hoofd.

Pas de laatste decennia begonnen jongelui met onderzoeken, met opknappen van de begraafplaatsen, al was er weinig aan op te knappen. Het waren letterlijk dodenvlaktes geworden, naamloos en onbekend.

De grootvader van Florian was nog maar een paar jaar getrouwd toen Hitler aan de macht kwam. *'Grossvater'* was lid van de communistische partij, die meteen na de Rijksdagbrand verboden werd. De partij had veel aanhangers in die tijd, overal in het westen en ook in Duitsland. De partij was fel tegen de opkomende fascisten van Hitler.

Eva knikte ten teken dat ze dat wist. Ze had veel over de oorlog en de tijd daarvoor gelezen. Opa had zelfs eens de opmerking gemaakt dat ze veel te veel gelezen had over die jaren...

Het was in Duitsland niet prettig wonen na die grote oorlog van 1914-1918. Het land was zo goed als bankroet en zuchtte onder de zware betalingen die het kreeg opgelegd na het verlies van de Eerste Wereldoorlog. Duitsland verloor grote stukken land aan Polen en Frankrijk en moest zijn koloniën afstaan.

De enorme geldontwaarding van net na de Eerste Wereldoorlog bracht het land aan de rand van de afgrond, en de nieuwe republiek van Weimar, als opvolger van het keizerrijk, hing aan elkaar van conflicten en opstanden tot in 1932 Hitler de macht kreeg. Kreeg, niet greep, zei die meneer Schultze nadrukkelijk. Hitler was gekozen door het volk, dat veel van hem verwachtte.

Grootvader Schultze werd in 1935 opgepakt; hij had toen al een tijdlang ondergedoken gezeten, want hij werd gezocht.

'Vakbondsmensen, schrijvers en communisten verdwenen bij duizenden achter de tralies in die jaren. Velen werden tewerkgesteld in het veengebied van Emsland. Het waren vaak mensen die niet gewend waren met hun handen te werken. Bovendien werden ze slecht behandeld en ze raakten weldra ondervoed. Bijna tweehonderdduizend mensen werden gevangengezet in dat afgelegen gebied, zesendertigduizend hebben het niet overleefd, en dan heb ik het alleen maar over Duitse staatsburgers. Het verhaal van de krijgsgevangenen is nog een heel ander verhaal,' zei Schultze en hij zweeg een tijdje.

Zijn grootvader had het waarschijnlijk ook niet gered, dacht

Eva ineens. Hij was communist; als Hitler ergens een hekel aan had, was het aan de communisten en aan de Joden.

De grootmoeder van Florian Schultze bleef achter met twee kinderen, de jongste was nog niet eens geboren. Grootvader Schultze werd veroordeeld tot vier jaar dwangarbeid in een concentratiekamp, niet ver van de Nederlandse grens, Börgermoor. Er was weinig nodig om het verblijf in die hel veel langer te laten duren. Het kwam erop neer dat grootmoeder haar man nooit terug had gezien.

Eva luisterde zwijgend. Ze begreep het verhaal niet. Waar wilde de man op aan? Waarom vertelde hij haar dat? Ze vroeg het hardop.

Schultze keek haar aan. 'Mijn grootvader is spoorloos verdwenen in die jaren. Men hoorde niets meer van hem, er kwam ook geen bericht van zijn dood. Bij andere slachtoffers kwam wel een overlijdensbericht. Mijn grootmoeder dacht dat haar man was omgekomen, zoals zovelen daar zijn vermoord, tot begin 1940...'

Hij zweeg een tijdje. Toen kuchte hij en hij vertelde verder: 'In maart 1940 kwam er ineens een brief van mijn grootvader, die weken onderweg was geweest. Hij was gedateerd in januari 1940. Hij kwam vanuit Nederland, dat is misschien de reden dat hij mijn grootmoeder bereikte. In die brief stond met allerlei soorten omwegen dat mijn grootvader was ontsnapt uit het concentratiekamp in Emsland. Hij was in Nederland aangekomen, maar hij was nog lang niet veilig. Het was het eerste en het laatste bericht dat ze van hem vernomen heeft. Kort daarop werd Nederland ook bezet door de Duitse troepen. Ze heeft heel lang gehoopt, zelfs nog nadat de oorlog beëindigd was, dat hij op de een of andere manier was weggekomen uit Nederland. Er kwam echter nooit een teken van leven.'

Eva knikte. Er waren in die oorlog miljoenen mensen verdwenen in naamloze graven, velen hadden niet eens een graf. Zes miljoen Joden en twee miljoen zigeuners waren verbrand in crematoria in Polen. Die grootvader kon weer zijn opgepakt door zijn landgenoten met alle gevolgen van dien.

'Hitler maakte in de jaren dertig bekend dat er in die kampen aan de Nederlandse grens zware misdadigers zaten opgesloten. De Hollanders mochten die ontsnapte gevangenen geen onderdak of voedsel verstrekken, ze moesten direct teruggestuurd worden naar Duitsland. Dat gebeurde ook als de politie hen in handen kreeg. Het ging immers om pure criminelen, zoals werd beweerd.'

'Werd hij ook gepakt?'

Hij zuchtte. 'Dat weten we niet. Op het moment dat hij die brief schreef, was hij in Groningen. Hij vertelde dat hij ontsnapt was en hulp had gekregen van de Rode Hulp. De Rode Hulp was een internationale groepering die hulp verleende aan vluchtelingen, vooral communistische vluchtelingen. Er was een afdeling van die groep in de stad Groningen. Die mensen wisten in 1934 al dat het niet om criminelen ging, maar voornamelijk om politieke gevangenen, en ook anderen wisten dat wel. In 1935 verscheen er al een boek over die kampen. Maar de Nederlandse overheid volhardde in het standpunt dat het ging om pure criminelen. Zij stuurde die ontsnapte gevangenen terug als ze hen te pakken kregen. Net als met de gevluchte Joden overigens, die moesten ook terug naar Duitsland.'

Ze kreeg weer de neiging te vragen wat opa daarmee te maken had. Opa was geen communist, verre van dat. Hij moest er niets van hebben, daar had hij nooit een geheim van gemaakt.

'Die brief is het laatste wat de familie van Wilhelm Schultze heeft vernomen. Zoals ik al zei, in de jaren dertig kregen families bericht als er iemand was overleden in die kampen. Longontsteking, tbc, soms zelfs brutaalweg op de vlucht neergeschoten, dat werd vaak als doodsoorzaak gegeven. Mijn grootmoeder kreeg nooit bericht. Daarom bleef een sprankje hoop bestaan dat hij in leven was gebleven na die merkwaardige brief uit Nederland. Maar die hoop stierf na de oorlog. Hij was en bleef spoorloos.'

'En mijn grootvader, welke rol speelde hij in dit verhaal?'

Hij keek haar aan. 'Ik heb met mensen gesproken in Groningen die de geschiedenis van de groepering de Rode Hulp kenden. Ik heb zelfs nog een man gesproken die erbij aangesloten was in de jaren dertig. Hij is nu bijna honderd. De Nederlandse mannen die in Duitsland werkten, de grensgangers zoals ze werden genoemd, werden soms aangeklampt door de ontsnapte gevangenen. Ze werden dan soms de grens over gesmokkeld en in veiligheid gebracht in Nederland. Dat was niet ongevaarlijk…'

Eva werd opmerkzaam. Had opa hiermee van doen gehad? Hij had nooit iets verteld.

'Ik weet sinds kort dat mijn grootvader in Duitsland heeft gewerkt als landarbeider,' zei ze langzaam.

Ze zag hoe hij knikte. Hij wist veel meer over opa dan zij, dacht ze nog. 'Uw grootvader heeft jaren bij dezelfde boerenfamilie gewerkt voor en tijdens de oorlog. Dat deden heel veel jonge mannen uit het grensgebied. In Nederland was amper werk te vinden, terwijl Duitsland de crisis alweer te boven was, zeker na 1935.'

'Ik heb nooit gehoord dat hij gevangenen hielp ontvluchten,' stamelde ze.

Hij glimlachte. 'Nee, daar werd ook niet over gesproken. Niet met Nederlanders, want je kon er de gevangenis voor indraaien, en er werd zeker niet over gepraat in Duitsland, want je speelde met je leven.'

Ze zweeg. Het was eigenlijk wel logisch wat hij vertelde. Opa was tot zijn twaalfde naar school gegaan, zoals iedereen in die tijd. Alleen als je ouders geld hadden, mocht je verder leren. Bij de Drentse familie was geen geld voor hogere scholen. De ouwelui waren blij als de kinderen een paar centen binnenbrachten, zeker in die zware jaren dertig.

Wat had opa gedaan in de jaren dat hij een opgroeiende knaap was? Was hij toen zo driest dat hij een ontsnapte gevangene meesmokkelde naar Nederland?

Opa had geen air van een held over zich, ook niet voor de oorlog, toen het niet ging om het verlies van je leven maar om een flinke boete en gevangenisstraf als je betrapt werd bij dit soort activiteiten, althans in Nederland.

De grootvader van Florian was spoorloos verdwenen. Hoe kon dat, als hij redelijk veilig in Groningen was?

Ze keek de man tegenover zich aan. 'Hoe kon uw grootvader

nou spoorloos verdwijnen? Iemand moet in al die jaren toch geweten hebben waar hij gebleven is?'

Florian haalde diep adem. 'Dat is de vraag waar mijn familie tot op de dag van vandaag mee zit,' zei hij toen. 'Mijn vader heeft jaren geprobeerd te ontdekken waar Wilhelm was gebleven. Hij heeft het antwoord nooit gevonden. Hij is overleden voor 1989, nog maar amper vijftig jaar oud. Ik heb hem maar enkele jaren meegemaakt, ik was de jongste thuis.'

Hij stond op. 'Ik kom graag nog eens terug, als het mag,' zei hij toen. 'Er is nog veel meer te vertellen. Maar ik zou ook graag willen dat u eens praatte met uw familie...' Hij keek haar aan alsof hij zeggen wilde: jij kent hen beter dan ik. Waarom kwam hij eigenlijk bij haar? Hij kon beter naar moeder Sonja stappen. Maar die zou niet erg toeschietelijk zijn, dat was ze ook nooit geweest tegenover vreemden. Zou hij hopen dat er toch iets bekend was? Wie zou dan iets moeten weten? Dan was hij in Groningen waarschijnlijk aan een beter adres.

Maar goed, als hij nog een keertje terug wilde komen en daarvoor een flink eind wilde rijden, was het haar goed.

Met die toestemming vertrok hij naar zijn woning in Duitsland.

6

De avond daarop belde moeder Sonja tegen halfacht. Eva stond op het punt om weg te gaan en keek wat zuur toen ze op de nummermelder zag wie het was. Ze was al laat. Ze had een afspraak gemaakt met een vriendin om eens bij te kletsen over alle onbeduidende zaken die hen onder normale omstandigheden bezighielden. Waarschijnlijk zou ook de huwelijksbreuk van de wederzijdse vriendin Inez ter sprake komen.

De hele dag had het verhaal van die Duitse man door haar hoofd gespeeld. Ze had zelfs aan een collega die bekendstond om zijn fascinatie voor geschiedenis gevraagd of hij ooit iets had gehoord over die Emslandkampen in de Tweede Wereldoorlog, vlak over de Duitse grens met Drenthe en Groningen.

Helemaal onbekend klonk het hem niet in de oren, maar hij wist er te weinig van om er iets zinnigs over te kunnen zeggen, deelde hij mee. Hij wilde weleens rondneuzen op internet.

Dat kan ik zelf ook, dacht ze toen.

Ze wilde niet met het verhaal naar haar ouders, daarvoor was ze nog te weinig op de hoogte van die hele geschiedenis. Ze wilde eens rustig zelf gaan zitten surfen op internet. Eerst moest ze de zaak wat verwerkt hebben. Het was ook niet niks. Haar rustige, bijna bescheiden opa, die blijkbaar op de een of andere manier behoorlijk burgerlijk ongehoorzaam was geweest in de jaren voor de oorlog.

Volgende week zou ze er eens een avondje voor gaan zitten.

Ze pakte wat geïrriteerd de telefoon aan. 'Dag moeder,' zei ze rustig.

Moeder had een afspraak gemaakt, meldde ze.

'Een afspraak? Waarvoor?' vroeg Eva verwonderd.

Nou moest Eva niet zo onnozel doen, zei Sonja geprikkeld. Natuurlijk snapte ze dat wel. Sonja had een afspraak bij het bruidshuis gemaakt. Als ze daar deze week nog naartoe ging, kon de jurk nog ruim op tijd klaarkomen voor de bruiloft over een week of zes, zeven. Had ze al een idee wat voor een jurk het moest worden? En had ze al geïnformeerd op het gemeentehuis naar de mogelijkheden van een huwelijkssluiting?

Eva snakte naar adem. Het bruidshuis, John, Amerika. Ze had er geen moment meer aan gedacht sinds het bezoek van Florian Schultze.

Ze had John ook niet meer gesproken. Nu ze er nog eens over nadacht was dat vreemd. Ze had hem sinds die zaterdagavond niet meer gezien. Hij had ook niet gebeld. Ja, dat was wel een beetje zijn stijl, dacht ze. Als er problemen dreigden, gaf hij niet thuis. Dan ging het vanzelf weer over, dacht hij...

Toen werd ze boos. Wat bezielde haar moeder om afspraken voor en zonder haar te maken? Ze was er nog lang niet uit of ze wel of niet meeging naar Amerika. 'Of heb je soms ook al de zaal besproken voor een bruiloftsfeest?' vroeg ze nijdig.

Het bleef stil aan de andere kant. Toen kwam het wat bedeesd dat moeder een paar restaurants had gebeld... Het klonk opvallend bescheiden, besefte Eva. Waarschijnlijk had vader Piet ook al het nodige commentaar geleverd.

'Moeder, dat laat je, begrepen? Ik wil niet dat je me zit op te jagen. Ik wil daar zelf een beslissing over nemen, en de juiste beslissing. Daar hoef jij niet tussen te zitten met je geregel.'

'Maar John...'

'Wat is er met John?'

'Die zit ook op een antwoord te wachten.'

'Nou, daar is mij niets van bekend. Ik heb al tijden niets van hem vernomen.'

Sonja begon te jammeren. Daar had je het weer. Eva wist het altijd beter, maar straks stootte ze haar neus, daar was haar moeder van overtuigd.

Eva legde ineens de telefoon neer midden in de tirade. 'Nee,' zei ze ineens hardop. 'Ik ga niet mee naar Amerika voor ik precies weet wat die geschiedenis met opa inhoudt. Ik heb niks te zoeken in Amerika, het land trekt me niet eens. En dat zal ik John ook duidelijk maken. Hij hoort me niet zo voor het blok te zetten. Het is net mijn moeder, die heeft daar ook een handje van.'

Het luchtte op, bedacht ze verwonderd. Maar meteen wist ze dat ze storm kon verwachten, van haar moeder, van John.

Maar vanavond niet, vanavond ging ze simpelweg kletsen bij haar vriendin.

Tegen het einde van de week belde John. Hij kwam vrijdagavond, meldde hij, voor zijn doen vrij kortaf. Hij was erg druk geweest deze week met al die paperassen, en het was nu zover dat hij alles ingevuld had en kon inleveren. Dat zou hij maandag doen, want Eva moest ook een aantal handtekeningen zetten.

'Hoe bedoel je, een aantal handtekeningen zetten?' vroeg ze rustig. Ze wist heel goed wat hij bedoelde. Hij ging zijn eigen gang, zonder haar en zonder te overleggen. Haar bezwaren en opmerkingen werden terzijde geschoven. Had hij dat altijd gedaan, vroeg ze zich af terwijl ze amper hoorde wat hij allemaal te vertellen had door de telefoon.

Ja, dacht ze. Dat was waarschijnlijk ook de reden waarom Danny hem niet mocht. Misschien had opa dat ook gemerkt en daarom zijn kleindochter gewaarschuwd: die jongen is niet goed voor jou.

Haar bezwaren waren niet belangrijk voor John. Hij begreep ze ook niet. Het was een prachtkans voor hem. Dat moest Eva hem gunnen en dus moest ze niet zeuren over allerlei onbelangrijke details. Ze zou wel een beetje gebelgd zijn over de late mededelingen. Niet te veel aandacht aan besteden. Gewoon in haar sop laten gaarkoken en de papieren klaarmaken. Die tekende ze wel, daar was hij van overtuigd.

Ja, dacht Eva, zo redeneerde hij vaker, misschien niet eens bewust, maar wel onbewust. Zijn aangelegenheden waren veel belangrijker dan de hare.

Ze legde de telefoon langzaam neer. Wat moest ze doen? Niet doen, zeiden vader Piet en schoonzus Danny. Moeder was al bezig de trouwjapon te ritselen. Eva voelde zich ingepakt en opgejaagd.

Ze zuchtte en ging zitten op haar vertrouwde plekje in de hoek van de bank. Dat werd storm aankomend weekend, besefte ze. Hij bleef al weg omdat ze niet laaiend enthousiast was over het plan om een jaar naar Amerika te gaan. Wat zou hij doen als ze weigerde te tekenen? Zou hij die Amerikaanse stage echt voor haar opgeven als ze hem probeerde uit te leggen dat hij erg veel vroeg van haar? Zou hij openstaan voor haar argumenten?

Zou hij zeggen: 'Sorry, meid, als jij er zo tegenop ziet, dan doe ik het niet, ik had het je ook in een vroeger stadium moeten laten weten'?

Eva geloofde het geen moment. Afwachten maar tot de storm zou losbarsten.

Ze liep die vrijdag nog op de galerij naar haar woning toen ze de telefoon hoorde rinkelen. Moeder, die was aangezocht om Eva op andere gedachten te brengen? John, die meedeelde dat hij toch niet kwam?

De telefoon stopte met rinkelen toen ze net in de gang stond. Nou, jammer dan, er zou wel weer gebeld worden als het dringend genoeg was. Als dat niet gebeurde was het niet belangrijk, en hoefde ze er geen aandacht aan te schenken.

Ze keek op de nummermelding. Ze kende het nummer niet. Nee, niet John, niet moeder, geen bekende in ieder geval. Het telefoontje kwam wel uit Zwolle of omgeving.

Het zou wel een of andere telefonische verkoper zijn, dacht ze luchtig en ze liep door naar het keukentje. Ze zag op tegen de tijd dat John zou arriveren. Ergens hoopte ze nog dat hij haar argumenten zou laten meewegen. Maar ze was er bang voor, ze kende hem te goed.

Na het eten zette ze de computer aan. Ze had nog zeker anderhalf uur voor John zou komen en ze wilde niet piekeren over mogelijke ellende. Het zou toch anders gaan, dacht ze. Dat deed het altijd. Je kon repeteren wat je wilde, één woord waar je niet bij stilstond en het hele gesprek werd compleet anders.

Ga maar eens zoeken naar die Emslandkampen, waar die Duitser het over had, dacht ze zonder al te veel motivatie.

Toch een raar verhaal, meende ze. Die grootvader van die meneer Schultze kwam nooit weer tevoorschijn. Er was geen enkel bericht van leven of dood. De eerste en tevens laatste brief kwam uit Groningen. Waar was die man dan gebleven?

Zou het mogelijk zijn dat hij richting Amerika was getrokken in de weken voor hier de Duitsers binnenvielen? Waarom liet hij dan niets meer van zich horen? Misschien kon dat niet in de oorlogsjaren, maar na die tijd toch zeker wel?

Eva bedacht dat die familie Schultze heel onzekere jaren had gekend. Hopen dat er ooit een brief kwam of een ander teken dat enige opheldering gaf, en er kwam nooit iets. Om gek van te worden. Had die man zijn gezin achter zich gelaten, zoals je in sommige romans kon lezen, om elders alleen een nieuw leven op te bouwen zonder zijn familie?

Dan was het geen erg fatsoenlijke kerel geweest.

Of was er iets heel anders gebeurd, was hij misschien toch weer in handen gevallen van zijn beulen?

Ze tikte de naam Emslandkampen in en was verrast over de hoeveelheid informatie die erover bestond op internet.

Ze begon te lezen. Ja, die Schultze had geen sprookjes verteld, daar was ze na vijf minuten al achter. Het was nog veel erger dan ze verwachtte. Die kampen waren gebruikt voor de krijgsgevangenen uit Rusland, Italië, Frankrijk en België. Duizenden waren er vermoord en in massagraven terechtgekomen.

Ineens stopte ze. Het waren akelige verhalen, uit een tijd waarin mensen minder dan beesten gerekend werden, waarin het leven van een mens niets meer te betekenen had. De weinige foto's lieten mannen zien in gestreepte pakken, zwaar werk verrichtend in een streek die ronduit verlaten mocht worden genoemd. Slecht gehuisvest, slecht voedsel, geen voorzieningen, ze waren immers maar gevangenen.

Ze tikte de naam Rode Hulp in, de organisatie die Schultze blijkbaar geholpen had toen hij in Groningen aankwam. Daar was aanmerkelijk minder informatie over.

Ze leunde achterover. Ineens tikte ze brutaalweg de naam Florian Schultze in. Zou die naam ergens opduiken op internet?

Tot haar verwondering kwam hij meer dan honderd keer tevoorschijn. Een tikje gehaast begon ze te lezen.

Tjonge, toe maar, hij was sinds een jaar een heuse professor in de geschiedenis aan de universiteit van Oldenburg, met als specialiteit de vroege middeleeuwen. Een van de jongste van Duitsland, werd erbij vermeld. Een heel knappe kop, leek het, hij had al het nodige gepubliceerd en had een uitstekende naam in zijn vakgebied.

Geboren in Dresden, dat klopte, dat had hij ook verteld. Hij had ook gewerkt in Berlijn, was gepromoveerd en heette dus

Professor Herr Doctor.

Nee, het was geen vent die ergens met smoesjes zou proberen binnen te dringen. Hij had de waarheid verteld. Of hij moest zich uitgeven voor die professor. Maar het was wel degelijk de man die hier was geweest toen een foto opdook op een andere site. Het haar iets te lang, heldere ogen, regelmatig gezicht, een aantrekkelijke vent om te zien.

Ineens dacht ze baldadig: was hij ook getrouwd? Dat kon ze niet opmaken uit de informatie. Ze had hem niet ouder geschat dan begin dertig. Ze had ook geen trouwring aan zijn vinger gezien, maar dat zei weinig.

Ze hoorde de bel overgaan, en meteen daarna de sleutel in het sleutelgat. Daar was John, wist ze. Hij had een eigen sleutel. De tijd was sneller gegaan dan ze besefte.

Haastig sloot ze de computer af en ze liep naar de gang.

Hij was al in de kamer en had een map met papieren op tafel gelegd. Hij was nu bezig zijn jas uit te trekken.

Was het haar nooit eerder opgevallen dat hij veel te dure merkkleding droeg? Een shirt met een merkje maakte dat het vier keer zo duur was als een zonder merkje. Keek hij daar niet doorheen?

Zijn moeder had al duidelijk gewaarschuwd: hij kan slecht met geld omgaan. Alleen het duurste is net goed genoeg.

Hoe zou dat gaan in Amerika? Dat ging niet, dacht ze, terwijl ze hem toeknikte. Dat kon het soort relatie dat zij hadden niet aan. In de verste verte niet. Zag hij dat zelf ook niet in?

Hij liet zich zakken in een gemakkelijke stoel. 'Ik ben heel druk geweest deze week,' zei hij.

Ze liep naar de keuken om de koffiemachine aan te zetten. Het was een cadeautje van John voor haar laatste verjaardag. Zelf gebruikte ze hem niet, ze vond de koffie niet eens lekker, al had het apparaat ongetwijfeld een flink bedrag gekost. Ze had zich toen al afgevraagd waar hij dat ding van betaald had.

'Nou, heb je nog nagedacht?' Het kwam er luchtig uit, iets van: daarover hoef je toch niet te denken, je gaat gewoon mee.

Hij grinnikte achter haar rug. Het kwam geen moment in hem op dat ze misschien zou weigeren.

'Eh... ik heb overlegd met de personeelsafdeling over de tickets. Ze betalen alleen economyclass. Dat kan natuurlijk niet in mijn positie. Ik kan daar toch niet verkreukeld en verfomfaaid verschijnen in Amerika?'

Ze reageerde niet en drukte op het knopje om de koffie in de kopjes te laten stromen. Nee, John moest zeker op stand reizen, dacht ze ironisch.

'Ze willen niet betalen, ik moet het verschil zelf dokken.' Het bleef even stil. 'Eh… zou jij dat geld zolang voor kunnen schieten?' kwam toen zijn vraag.

Ze sloot even de ogen. Daar had je het al waarvoor zijn moeder had gewaarschuwd: hij houdt geen cent over. Waar vader Piet zich mateloos over kon opwinden.

'Ik heb het met een paar weken terug en ach, we zijn dan toch getrouwd, dus het mijne is het jouwe,' lachte hij.

'Ja, het mijne is het jouwe,' antwoordde ze bijna sarcastisch en ze nam de kopjes van het aanrecht en liep ermee naar de zithoek.

Hij keek haar vriendelijk aan. Haar opmerking bereikte hem niet. 'Precies,' knikte hij.

Pas toen ze tegenover hem zat, kuchte ze kort en ze keek hem strak aan. Hij had de map al voor zich gelegd op de kleine tafel. De papieren waren helemaal ingevuld, zag ze. Haar naam, adres, geboortedatum, het stond er allemaal.

Over nadenken? Wat een onzin. Dat sprak uit die manier van doen. Schiet die tickets even voor. We zijn straks toch getrouwd, dus…

En ineens werd ze heel boos. Hij nam haar niet eens serieus. Hij regelde en besliste voor haar en zonder haar. Dat was geen basis voor een relatie, al helemaal niet voor een huwelijk.

'John, ik heb erover nagedacht.'

'Natuurlijk, dat is logisch. Hier moet je tekenen en daar…'

'Ik ga niet mee naar Amerika.' Ze schrok van haar eigen woorden die er zo resoluut uit kwamen. Ze had er de afgelopen week amper aandacht aan besteed, dacht ze in paniek. Die Duitser had alle aandacht opgeëist met die verhalen over zijn grootvader en de hare. Hoe kon ze nou zomaar zeggen dat ze niet meeging? Was dat niet heel vreemd? Een belangrijke beslissing werd naar de achtergrond geschoven voor een verhaal dat meer dan zeventig jaar geleden had gespeeld. Opa was heel oud geworden, zijn leven was voorbij en hij was in alle rust aan zijn laatste reis begonnen. Het was goed, had hij nog tegen zijn dochter gezegd. Oom Henk was er niet bij geweest en dat had hem pijn gedaan. Australië lag aan de andere kant van de aardbol en opa was maar enkele dagen ziek geweest. Ondanks de moderne technische hoogstandjes kon oom Henk niet op tijd zijn om afscheid te nemen van zijn vader.

Zij knalde er in een moment die belangrijke beslissing uit die de rest van haar leven zou beïnvloeden, en ze zei zonder meer nee. Ze had er niet over nagedacht, wilde het ook niet. Of toch wel? Had ze vanaf het eerste moment geweten dat ze het niet zou doen? Was nadenken niet eens nodig geweest?

Dit betekent het einde van je relatie, schoot het door haar heen. Je vader heeft het al genoemd.

Ineens dacht ze weer aan opa. Wat had oma in eerste instantie gezegd toen ze vernam dat opa naar Zuid-Afrika zou worden uit-gezonden?

Opa zou vast niet op een avond thuisgekomen zijn met de mededeling: over twee maanden ga ik naar Zuid-Afrika. Daar was goed over nagedacht en over gepraat. De beslissing was gezamenlijk genomen.

En niet, zoals in haar geval, een korte mededeling dat ze over twee maanden getrouwd en wel mee naar Amerika mocht.

De papieren lagen hier al ingevuld voor haar neus. Ze hoefde alleen maar een handtekening te zetten, en heel haar huidige bestaan werd weggepoetst door John, ondergeschikt gemaakt aan het zijne. Inspraak? Nee hoor. Daar deed hij niet aan.

Ze zag hem opkijken. Zijn ogen werden donker, bijna zwart. 'Wat zei je?' kwam het.

'Ik ga niet met je mee.' Het klonk bijna wanhopig.

'Waarom niet?'

'Jij hebt alles al in kannen en kruiken. Je beslist voor, over en zonder mij. Ik moet alleen nog tekenen…'

'Nou, èn? Wees blij dat ik je dat werk uit handen neem.'

Ze schudde haar hoofd. 'Misschien kon dat vijftig jaar geleden, maar nu niet meer, John. Zo gaat het niet in een relatie: de een

67

beslist, de ander hobbelt erachteraan. Het dringt niet eens tot je door wat je van me vraagt. Ik moet alles achterlaten. Als ik over een jaar terugkom, sta ik met lege handen...'

'Onzin, we zijn dan getrouwd.'

'Wat zegt dat? Eén op de drie huwelijken mislukt en sommige al na enkele maanden. Wat als blijkt dat ik niet kan aarden in Amerika?'

Hij sprong overeind. 'Je moet geen problemen maken waar ze niet zijn, Eva. We kennen elkaar goed genoeg, we gaan al twee jaar met elkaar om.'

'Ja, en jij neemt me geen moment serieus.' Ze haalde diep adem. 'Zou jij ook met mij meegaan als ik die kans kreeg van mijn baas?'

'Ja hoor,' kwam het vlot.

'Als jij daarvoor ontslag moest nemen, je huis moest opgeven en een studie van enkele jaren afbreken, ging je dan ook mee?' vroeg ze zonder op het antwoord te wachten. 'En dan heb ik het nog niet eens over het feit dat jij al maandenlang weet dat dit speelt en jij vindt het niet eens nodig om mij te vertellen waar je mee bezig bent.'

'Wat is dat voor onzin om die vraag te stellen?'

Ze keek hem stroef aan. 'Ik moet dat allemaal opgeven voor jou. Of is dat niet eens tot jou doorgedrongen?'

Hij haalde onwillig zijn schouders op en antwoordde niet.

'Als toppunt mag ik ook je geldschieter spelen. Heb je zelf dat geld niet voor een businessclassticket?'

'Wat maakt het uit? We trouwen toch?'

Ze liet een licht ingehouden lach horen. 'Jouw toverwoord, dat blijkbaar alles goed moet maken: trouwen. Je zou het nooit doen, heb je altijd geroepen. Trouwen, dat was een vies woord voor je.'

'Wat is dat voor feministisch geklets?'

'Dat, beste John, is nadenken, ook over míjn toekomst.'

Hij sloot ineens de map met papieren met een klap. 'Er zouden heel wat vrouwen zijn die dolgraag en zonder aarzelen mee zouden gaan.'

'Ja, maar zo zit ik niet in elkaar,' zei ze koppig.

Hij griste de map van de kleine tafel en liep naar de gang. Hij trok zijn jas aan en keerde zich om. 'Je mag er nog eens over nadenken. Maar ik ga, hoe dan ook, naar Amerika, begrepen?'

Ze slikte iets weg. 'Ja, dat begrijp ik.'

'Ga er maar van uit dat, als je niet meegaat, het gevolgen zal hebben. Als ik vertrek zonder jou, beloof ik niet dat ik over een jaar nog bij je terugkom.'

Ze zweeg een ogenblik en zag hem naar de deur benen. De deur knalde achter hem dicht. Toen pas zei ze hardop: 'Daar ben ik me volledig van bewust, John. Daarom is het ook zo moeilijk.'

De tranen gleden over haar wangen. Twee jaar naar de knoppen, dacht ze. Hij heeft gelijk: veel vrouwen hadden met plezier toegestemd in dit avontuur. Wat heb je nou bereikt? Waarom ben je zo eigenwijs, juffrouw Van den Bergh? Je had het op z'n minst kunnen proberen...

7

De volgende ochtend stond Eva bijtijds op. Ze was verwonderd over het feit dat ze zo goed geslapen had. Ze had verwacht dat ze een halve nacht wakker zou liggen. Na de tranen had ze, helemaal tegen haar gewoonte, een glas wijn genomen. Ze dronk nooit alcohol, ze vond het niet eens lekker. Maar ze had iets van een hartversterkertje nodig. Ze had nog even gedacht om iemand te gaan bellen, maar het was te laat, vond ze.

Tegen halftwaalf was ze moe van het piekeren en het twijfelen naar bed gegaan, en ze viel bijna direct in slaap. Om zeven uur werd ze wakker, en ze besloot maar op te staan.

Ze had geen haast vanmorgen. Ze wilde nog even het dorp in, misschien een vriendin bellen, meer niet. Toch maar in de buurt van de telefoon blijven. John zou zich heus wel melden, dacht ze. Of anders zou ze tegen de middag met hem bellen.

Om wat te zeggen? Ik teken, ik ga mee?

Het gepieker begon weer, merkte ze.

Nog voor negen uur rinkelde de telefoon doordringend door de kleine, knusse kamer van Eva's appartement. John, dacht ze. Die beseft dat het gisteravond niet helemaal goed liep. Gelukkig maar. Hij houdt toch nog een beetje rekening met me.

Ze liep in haar ochtendjas met een kop thee in de hand van het aanrecht naar de kleine tafel en keek op de nummermelding.

Verwonderd zag ze het nummer. Ze had van alles verwacht: John, om nog enige redelijkheid in haar hoofd te stampen. Of misschien had hij ook nagedacht en begreep hij iets van haar bezwaren. Het kon moeder zijn, die er ook een handje van had om vroeg te bellen. Misschien die onbekende beller van gisteravond toen ze binnenkwam, dat zou ook nog kunnen.

Ze herkende het nummer na enig nadenken: Johns moeder.

O, gooide hij de hulptroepen in de strijd? Je moet hem niet alleen laten gaan, meisje. Jullie gaan nou al zo lang met elkaar om, je weet nu wel wat je aan elkaar hebt.

Ja, dat wist ze, meer dan ooit. Danny had gelijk, vader Piet ook, opa ook. Maar het deed zo'n pijn.

Ze drukte op de knop en meldde zich met: 'Eva.'

'Met Leny. Ik kreeg gisteravond John op de stoep…'

Daar had je het al.

'Hij was ongelooflijk chagrijnig. Ik begreep meteen wat er aan de hand was.' Ze zweeg een moment, toen zei ze: 'Meid, ik wou maar één ding zeggen: je hebt groot gelijk. Je moet onder deze omstandigheden niet meegaan naar Amerika. Dat wordt een ramp.'

'Wat zeg je?' vroeg Eva perplex.

'Ik heb hem al maandenlang gezegd: John, praat er nou over met Eva. Je stelt haar straks voor een voldongen feit. Je moet het overleggen met elkaar. Dat moet je in een huwelijk ook, anders gaat het niet goed. O nee, hij dacht dat jij het er wel mee eens zou zijn.'

'Wist je dat John bezig was met die uitzending naar Amerika?' vroeg Eva ademloos.

'Ja, dat wist ik en ik heb meer dan eens gedacht: als hij niets zegt, zal ik dan de telefoon nemen en het Eva meedelen? Meid, ik ben zo blij dat je hem een halt hebt toegeroepen. Hij heeft een harde les nodig. Hij moet leren dat de wereld niet om hem draait.'

Eva luisterde verwonderd. Dit had ze nooit verwacht. De moeder van John nam stelling tegen haar eigen zoon. Ze ging zitten.

'Ik heb er vannacht niet van geslapen. Hij was de laatste weken zo fanatiek. Hij wilde per se bij die laatste kandidaten horen uit wie gekozen zou worden. Hij heeft gebeld, gemaild, gepleit, op alle manieren erachteraan gezeten. Ik was zelfs bang dat hij het niet helemaal eerlijk zou spelen,' vertelde Leny nog.

'Al die tijd wist ik van niets,' zei Eva zacht.

'Nee, dat begreep ik ook. Gisteravond heb ik een uur op hem ingepraat, maar ik vrees dat ik tegen dovemansoren heb zitten kletsen. Hij snapt gewoon niet waarom jij er zo'n probleem van maakt.'

'Hij heeft me ook gevraagd om die extra kosten voor de vliegtickets te betalen,' merkte Eva ineens op.

Het bleef even stil. Toen kwam het fel: 'Dat doe je niet, Eva! Ik verbied het je gewoon. Hij kan geen cent in de knip hebben of het moet uitgegeven worden. Ik heb het hem anders geleerd, maar ja, het geld brandt hem in de zak. Soms denk ik weleens dat hij zijn vader veel te vroeg heeft verloren.'

Ja, dat wist Eva. Ze had Johns vader nooit ontmoet. Hij was al overleden voor ze John leerde kennen.

'Ik heb hem vorige week nog gewaarschuwd toen hij me volkomen overbodige zaken liet zien die hij had aangeschaft voor Amerika, zoals hij zei. Een fototoestel, kleding, sportschoenen van meer dan tweehonderd euro. Ik zei nog: je bent niet goed snik, man. Je weet niet eens of je wel gaat. Maar hij luisterde weer niet.'

Eva zweeg. Leny ratelde wel door, die zat ook er ook vol van, bemerkte ze.

'Ik vroeg hem nog: heb jij wel genoeg geld voor de eerste tijd in Amerika? Ik zou maar eens wat meer op de centen letten.' Het was weer even stil, toen zei Johns moeder: 'Weet je wat hij zei? Eva heeft een flink spaarbankboekje. Ik kan het me allemaal best permitteren.'

Ze zwegen alle twee. Eva had het gevoel dat ze een draai om haar oren had gekregen. Eva heeft wel geld. Ik hoef niet zuinig te zijn.

'Daarom ben ik zo blij dat je hebt gezegd: nee, dat doen we niet. Hij moet leren dat hij niet op een andermans portemonnee mag teren. Desnoods via de harde weg. Als blijkt dat hij geen cent heeft om die eerste weken in Amerika door te komen, leert hij misschien meer dan dat hele jaar daarginds,' zei Leny vanuit Zwolle.

Toen de telefoon was neergelegd bleef Eva voor zich uit staren. Ze wist nu al wat vader Piet zou zeggen.

Ze wist niet hoelang ze had zitten piekeren, maar ze schrok op toen ze de bel hoorde. Haar ogen gleden automatisch naar de klok. Halfelf, bijna.

Toe maar, normaal liep ze op zaterdag om deze tijd al bij de supermarkt.

Wie stond er op de stoep? Ze keek via de intercom. Moeder Sonja, dacht ze.

Had John haar gebeld? Moeder had beslist een ander verhaal dan Leny.

Ze drukte op de knop om de deur te openen en even later kwam Sonja haastig binnen. 'Ben je nog niet aangekleed?' vroeg ze verwonderd.

Eva reageerde niet. Ze liep terug naar de kleine woonkamer en liet zich in een stoel vallen.

Sonja ging haastig zitten. 'Ik werd vanmorgen al gebeld door John,' zei ze meteen.

Eva knikte tam. Natuurlijk had John haar gebeld. Zijn moeder wees hem terecht, zijn aanstaande schoonmoeder zou dat niet doen.

'Je vader is woedend.'

'Waarom?'

'Om jouw gedrag. Hoe kun je nou tegen John zeggen dat je niet meegaat?'

Eva keek haar moeder aan. 'Is vader boos omdat ik niet meega? Of ben jij boos omdat ik niet alles op wil geven voor John?'

'Ik ben ook boos…'

'Als vader zondag meende wat hij zei, dan heeft hij mij gelijk gegeven,' corrigeerde Eva rustig. Ze kende haar moeder goed genoeg om te weten dat die er altijd anderen bij haalde die het, volgens haar, roerend met haar eens waren.

Sonja wuifde die opmerking weg. 'Je kunt het niet maken.'

'Wat niet? John alleen laten gaan? Waarom niet?'

'Dat hoort niet.'

'Er hoort zoveel niet en toch gebeurt het.'

Sonja wrong haar handen in elkaar. 'Ik heb nota bene al een afspraak voor je gemaakt. We moeten vanmorgen naar dat bruidshuis.'

O, dacht Eva bijna lacherig. Ze hoorde haar vader al uitvallen tegen moeder: ben je nou helemaal? Dat zijn geen zaken die jij moet regelen. Trouwen kun je ook in de spijkerbroek…

'Dat is dan jammer, moeder, maar jij gaat die afspraak maar afzeggen. Ik ga niet mee, ik denk er eenvoudig niet over. Ik dacht trouwens dat ik afgelopen dagen al duidelijk had laten doorschemeren dat jij een stapje te ver gaat in je bemoeienissen.' Dat heb je altijd gedaan, zei ze er in gedachten achteraan.

Sonja keek haar dochter woedend aan. 'Je vergooit je hele leven.'

'Zo? In wat voor opzicht?'

'John is een goeie vent...'

Eva zuchtte hoorbaar en stond op. Die tirade kende ze wel. 'Ik ga me aankleden. Ik heb nog wat zaken te regelen vandaag.'

'Ja, over een halfuur moet je bij dat bruidshuis zijn.'

Eva schudde haar hoofd. 'Nee moeder, ik hoef daar helemaal niet te zijn.'

Sonja hief haar handen ten hemel. 'Dan weet ik het ook niet meer.'

'Er is trouwens geen geld voor een trouwjurk, moeder. John heeft geen rooie cent. Als hij naar Amerika wil, zal ik de kosten moeten betalen, daar gaat hij van uit, want ik heb geld zat, zegt hij.'

Sonja zweeg en gaf geen commentaar op die mededeling. Ze stond op. 'Ik ben het er niet mee eens,' zei ze dreigend.

Eva gaf geen antwoord toen ze de deur achter haar moeder zag dichtgaan.

Wat ben ik toch een raar stukkie mens, dacht ze. Als anderen me aanvallen om deze geschiedenis, ben ik faliekant tegen. Als ik alleen ben, ga ik kapot aan de twijfel.

Langzaam liep ze naar de badkamer om te douchen en zich aan te kleden. Misschien voelde ze zich dan wat beter.

Het werd een hectische dag, dacht ze later. Een vermoeide vader Piet meldde zich per telefoon en kondigde aan nog even langs te komen.

Hij was er binnen het kwartier, knikte afwezig op het aanbod voor een mok koffie en liet zich zakken op de bank. Hij probeerde de zaak te sussen, begreep Eva. Hij zou anders zelf de eerste dagen amper een leven hebben. Moeder kon eindeloos doorzeuren over hetzelfde onderwerp. Daar werd je doodmoe van, vooral als ze haar gelijk niet kon halen.

'Doe je moeder nou dat plezier en ga even mee naar dat bruidshuis. Het hoeft toch niet te betekenen dat je meteen zo'n dure jurk aanschaft. Je bent mans genoeg om je moeder tegen te houden. Laat haar niet afgaan, dat bedoel ik,' pleitte Piet.

Ze zei hem pardoes dat er meer kans bestond op een breuk dan op een bruiloft. Hij scheen daarover niet verwonderd, zag ze.

Ze ging nog een stapje verder. Of hij wist dat John geen rooie cent in de knip had voor wat dan ook en erop rekende dat zij haar spaarbankboekje zou aanspreken.

Met een ruk hief hij zijn hoofd op. 'Zo? Daar heeft je moeder het niet over gehad,' kwam het rustig. 'Dus jij hebt een spaarbankboekje voor zijn uitgaven?'

Ze knikte langzaam. 'Vader, dit gaat tot grote problemen leiden in een huwelijk, dat zijn jouw eigen woorden. Ik ben niet gewend om alles op te maken, dat heb ik van jou wel meegekregen. Hij doet dat wel. Zijn moeder waarschuwt me er zelfs nog voor.'

'Wat voor gedachten heeft John eigenlijk? Het is toch een volwassen vent?' vroeg Piet zich hardop af. 'Ja, natuurlijk is het me wel opgevallen dat hij altijd het heertje is. Ik heb hem zelfs weleens gevraagd of hij nog wat overhield van zijn loon.'

'Nee dus,' vulde ze aan.

Hij knikte, stond op en liep naar de deur. 'Ik denk, Eva, dat je inderdaad je poot stijf moet houden. Hij denkt te gemakkelijk over mijn en dijn: hij uitgeven en jij binnenbrengen. Zelfs zijn moeder ziet het. Dat gaat niet goed, daar heb je gelijk in. Denk maar eens aan je vriendin, die Inez. Die mag zich ook de pleuris werken voor die man van haar. Ik zag dat niet graag bij jou gebeuren. Je hebt een goed voorbeeld hoe het níét moet...'

Daarmee ging Piet weg met een bezwaard gemoed, want zijn vrouw zou het hem niet eenvoudig maken in de komende dagen.

Tegen de avond van die zaterdag rinkelde opnieuw de telefoon. Eva stond op. Wie kon het zijn? John, zijn moeder, haar vader, het kon iedereen zijn.

Zou ze laten bellen, dacht ze vermoeid. Ze had even geen zin in John of moeder of wie dan ook.

Ze keek op de nummermelding. Ze kende het nummer niet, het leek hetzelfde nummer als dat van vrijdag toen ze net binnenkwam.

Toch maar opnemen; ze kon het gesprek wel afkappen als het

niet prettig was.

Het was een onbekende stem, die vroeg of zij Eva van den Bergh was. Ja, zei ze kort.

'Met Grevinga,' kwam het toen wat voorzichtig.

Eva bedacht dat het geen jongeman was die zich meldde. De stem klonk alsof de eigenaar waarschijnlijk al op leeftijd was. Een jonge vent zou zich melden met zijn voornaam erbij.

'Ja?' zei ze. Ze vroeg zich af wat de man zou willen. Ze kon zich er geen voorstelling van maken.

'Het is niet zo eenvoudig om zomaar even los te barsten. Maar laat ik beginnen met: uw grootvader, Jacob Reijnders, is pas overleden?' Het kwam vragend alsof de man aarzelde om verder te vragen.

'Ja, hoezo?' vroeg ze verwonderd.

'Mijn vader heeft hem redelijk goed gekend.' Het kwam weer heel voorzichtig.

Eva zweeg een ogenblik.

'Hallo, bent u daar nog?' kwam het uit de hoorn.

'Ja, ik ben er nog. Hoe hebt u vernomen dat mijn grootvader is overleden?' Misschien via de advertentie? Maar deze krant verscheen niet in Zwolle en omstreken.

'Ik kreeg onlangs een professor Schultze op bezoek, een Duitser.'

Die Duitser was er maar druk mee, dacht Eva. Had hij zo veel vrije tijd? Hoefde hij niet te werken aan de universiteit?

'Waar kende uw vader mijn grootvader van?' vroeg ze ineens. Een oude kennis van opa. In al die jaren waren nooit mensen opgedoken die contacten hadden met opa, en nu ineens, na zijn dood, kwamen ze tevoorschijn, ook al waren het dan de kinderen en kleinkinderen van die kennissen.

'Van de oorlog en zelfs daarvoor.'

Eva zweeg verbaasd. De oorlog, de periode waar nooit over gesproken werd.

Het verhaal van de Duitser schoot door haar heen. Die Rode Hulp, of hoe die groep in Groningen ook mocht heten. Uitgeweken vluchtelingen uit Duitsland en ontsnapte gevangenen uit de concentratiekampen langs de grens. Grevinga klonk als een naam uit Groningen. Had de vader van deze man er iets mee van doen gehad? Dan moest de Grevinga zelf tegen of over de tachtig zijn.

'Ik was in die jaren weinig meer dan een kind. Ik ben een Groninger van huis uit, al woon ik al jaren in Zwolle. In het verleden heb ik al eens geprobeerd met uw grootvader in contact te komen, maar dat wilde hij niet. Hij kapte het nogal bruusk af, moet ik zeggen. Nu hoorde ik dat hij is overleden en dat Florian net te laat was om hem nog te spreken.'

Florian, dat was blijkbaar al een heel aardige vriendschap, dacht ze.

'Zou ik een keer bij u langs kunnen komen?' kwam het onverwacht.

'Ik denk dat u misschien beter met mijn moeder kunt spreken, zij was een dochter van Jacob…'

'Ik denk dat ik er meer aan heb om met u te praten,' kwam het voorzichtig.

'Waarom?' vroeg ze verbaasd.

'Florian vindt dat ook,' klonk het.

'Heeft die dan met mijn moeder gesproken?' Was hij daar toch geweest in de dagen van opa's overlijden? Had hij moeder Sonja getroffen? Toen Eva daarnaar vroeg, had haar moeder het ten stelligste ontkend.

'Hij heeft geprobeerd contact te leggen. Ze wimpelde hem af en nogal bot ook,' kwam het tot haar verrassing.

Merkwaardig, dacht Eva. Moeder is anders zo nieuwsgierig als ze lang is. Nu kapt ze het af en praat nergens over. Dat is vreemd.

Eva stemde toe in een gesprek, nog meer om haar eigen nieuwsgierigheid dan dat ze het nodig vond. Zo leuk waren die verhalen over de oorlog niet. Ze kon die Grevinga weinig vertellen. Ze wist simpelweg niets van het verleden van opa.

Moeder ook niet, meende ze. Maar waarom was ze dan zo resoluut en stuurde ze die professor Schultze weg? Als het tenminste waar was wat die onbekende meneer Grevinga vertelde.

De zondag werd een vervelende dag, zou ze later zeggen. Moeder stond al voor twaalf uur, regelrecht uit de kerk, bij haar dochter op de stoep. Het scheelde weinig of ze was in tranen, zag Eva. Die had bakzeil moeten halen bij de bruidswinkel en dat zou niet al te vriendelijk zijn gegaan.

'Het is een schande,' bracht ze uit toen ze naar binnen was gelopen. Piet volgde haar zuchtend en maakte al een bezwerend gebaar achter haar rug.

Eva hield zich in, ze had ironisch willen vragen of de preek van de dominee goed was geweest...

'Ik stond mooi voor gek bij het bruidshuis.'

Eva zweeg opnieuw. Ze zou willen zeggen: 'Dat heb je wel jezelf aangedaan', maar dat zou alleen maar meer olie op de golven betekenen.

'Koffie?' vroeg ze dwars door de tirade heen.

Ze knikten alle twee.

'Ik heb ook nog even gebeld met Koos,' hoorde ze haar moeder zeggen.

'Die was het zeker roerend met je eens,' vulde Eva aan.

Sonja zweeg. Nee, Koos was het niet met haar eens. Integendeel, besefte ze. Ze had zonder omwegen te horen gekregen dat ze zich bemoeide met zaken die haar niet aangingen.

'Ik weet dat jij John niet mag,' had ze ertegenin gegooid.

'Daar gaat het niet om. Ik hoef niet met hem te trouwen. Wat wil je nou, moeder, Eva doodongelukkig in Amerika zien zitten? Want dat gaat gebeuren, daar is geen enkele fantasie voor nodig.'

'Waarom zou ze doodongelukkig worden?'

Ze hoefde niet eens verder te vragen. Piet had het ook al gezegd en heel erg duidelijk.

'Waarom denk je dat de moeder van John Eva waarschuwt? Liefde is mooi, maar er moet wel een bepaalde financiële ondergrond zijn en die is er niet als een van beide partners met geld smijt,' had hij gezegd.

'Het huwelijk is meer dan geld alleen,' had Sonja gezegd. 'Wij hadden het ook niet breed toen we trouwden.'

'Denk jij dat ons huwelijk was gelukt als jij de centen had rondgestrooid, Sonja?'

Ze had even gedacht: hij wil eigenlijk zeggen dat het hoe dan ook een wonder mag zijn dat wij het met elkaar hebben uitgehouden.

'Ik vind het een groot schandaal dat je als moeder je eigen zoon zo bekladt. Zoiets doe je niet.'

'Sonja, jij doet precies hetzelfde, zij het in tegengestelde richting. Jij duwt Eva de afgrond in.'

Ze begreep niet dat ze zulke rare kinderen had, snikte ze tegen Piet. Koos was helemaal omgedraaid sinds hij met Danny was getrouwd, en Eva, nou ja, Eva was altijd tegen de draad in geweest.

Piet had nog een tijdje verstandig gezwegen. Zo nu en dan werd het hem te veel en dan sloeg hij met de vuist op tafel. Dan kon hij weer even met haar huizen, had hij eens tegen zijn zoon opgemerkt. Het ging door deze geschiedenis weer die kant op.

Sonja kneep nu haar lippen op elkaar. Ze wist dat ze alleen stond in deze kwestie. Ze wist ook wel dat ze te ver was gegaan, maar dat zou ze nooit toegeven. Ze dronk haar koffie op en knabbelde op een stukje koek. Piet zweeg ook het grootste deel van de tijd.

Eva keek haar moeder aan. Ineens zei ze: 'Ik kreeg gisteren een telefoontje van een zekere meneer Grevinga uit Zwolle. Zegt die naam jullie iets?'

Piet schudde meteen zijn hoofd, maar Sonja verbleekte zichtbaar.

'Jou zegt het wel iets, nietwaar, moeder?' vroeg Eva ronduit.

'Nee, waar zou ik die naam van moeten kennen?'

Eva staarde haar een tijdje aan. 'Zijn vader kende opa van vroeger, vertelde hij,' zei ze toen kalm.

Piet veerde overeind vanuit de bank. 'Zo? Nooit geweten dat opa kennissen had in Zwolle.'

'Die had hij ook niet,' snibde Sonja.

Eva schudde haar hoofd. 'Nee, hij was zelf ook geen kennis van opa; hij heeft wel contact gezocht met opa, maar die poeierde hem af.'

'Waarom?' wilde Piet weten.

'Dat wil ik nou ook weleens weten. Hij komt aankomende woensdagavond op bezoek.'

Sonja keek fel op. 'Dat gebeurt niet!' zei ze ineens woedend. 'Ik verbied je om met die man te praten.'

Piet keek haar verbijsterd aan. 'Wat krijgen we nou, Sonja?'

'Die vent deugt niet, dat is een communist uit Groningen...'

Piet schoot bijna in de lach, maar hij hield meteen in toen Eva koeltjes opmerkte: 'Dus jij kent die man wel degelijk?'

'Nee, natuurlijk niet,' hakkelde Sonja. Ze leek zich betrapt te voelen.

'Nou, je noemt hem een communist. Hoe weet jij dat als je hem niet eens kent? Een communist, wat zou dat? We leven niet meer in de jaren vijftig. Je kreeg in die dagen de geheime dienst achter je aan als je openlijk beweerde communist te zijn. Mensen gingen emigreren, bang voor het communisme en de Russen, die zo konden komen,' spotte Eva.

'Ja, lach er maar om.'

Piet kuchte kort. 'Ik lach niet, Sonja. Maar je hebt wel wat uit te leggen. Waarom reageer jij zo fel op die man, die jij helemaal niet kent, zoals je zegt?'

'Hij heeft ooit contact met je gezocht, nietwaar? Ik denk dat hij jou aanklampte nadat opa hem te verstaan had gegeven dat hij weg moest blijven,' merkte Eva op. 'Vertel eens?'

Piet stemde in. 'Ja, ik word ook knap nieuwsgierig.'

Sonja keek om zich heen. 'Die man is er de oorzaak van dat mijn vader zo raar werd naarmate hij ouder werd. En dat heeft te maken met de oorlog. Je grootvader wilde die akelige tijd vergeten, daar kreeg hij de kans niet voor bij die man. Daarom wil ik niet dat je met die vent contacten onderhoudt. Hij heeft opa het leven destijds aardig zuur gemaakt.'

8

Piet keek op. Eva eveneens.

'Vertel eens verder,' kwam het koeltjes. 'Je weet zogenaamd nergens van, desondanks trek je conclusies aan de lopende band, die bewijzen dat je wel degelijk wat weet.'

Sonja kromp in elkaar. 'Mijn vader heeft verder niets toegelicht. Ik weet gewoon niets van die tijd,' mompelde ze voor zich heen.

'Wanneer zocht die man contact met je vader?' wilde Piet weten.

'Al tijden geleden. Die Grevinga heeft hem meer dan eens gebeld, brieven gestuurd, kortom, opa lastiggevallen. Dat is het enige wat hij ooit heeft verteld. Hij dacht er zelfs over om de politie in te schakelen. Hij had werkelijk last van die man.'

'Waarom dan?' vroeg Eva dringend. 'Waarom wilde opa niet praten met die man? Wat is er dan ooit gebeurd?'

Sonja haalde haar schouders op. 'Dat heeft opa nooit willen zeggen.'

Eva zuchtte en staarde haar vader aan. Typisch moeder, dacht ze. Die kon zich ongelooflijk goed met een kluitje in het riet laten sturen, als de zaken haar niet echt interesseerden. Opa kende die karaktertrek, dat was misschien ook de reden waarom hij haar die paar dingen had verteld over die Grevinga.

Opa had altijd alles voor zich gehouden. Daar was ook oma heel duidelijk in. 'Ik heb de beste man van de wereld getrouwd, maar hij moest wat mededeelzamer zijn over zichzelf,' had ze weleens verzucht.

Moeder was niet in de oorlog geïnteresseerd. Ze was jaren nadien geboren, zei ze altijd. Ze zou Grevinga afgepoeierd hebben en bot ook. Dat kon ze als het erop aankwam.

'Hoe het ook zij, ik wil wel met die man praten, ook al weet ik van niets. Het is een oude man en hij neemt de moeite helemaal naar hier te rijden,' zei Eva kortaf. 'Dat geheimzinnige gedoe over de oorlog maakt alleen maar dat je steeds nieuwsgieriger wordt.'

'Dat ben ik helemaal met je eens,' zei Piet strak.

Eva keek hem aan. Hij was kwaad, zag ze. Moeder, je hebt wat uit te leggen. Je kunt bij vader een hoop uithalen, maar je moet geen zaken verzwijgen voor hem of erover liegen, daar heeft hij een ongelooflijke hekel aan.

Ze stapten weldra op. Sonja wat bedeesd, Piet wat stroef.

Eva keek hen na. Een echtpaar van middelbare leeftijd. Vader was nog lang niet gepensioneerd, ze waren voor deze tijd nog jong en sterk. Een goed huwelijk? Ze zouden het beiden beamen, maar Eva had daar zo haar eigen gedachten over. Misschien was zij te romantisch aangelegd ondanks alle nuchterheid, dacht ze bij zichzelf. Het valt niet altijd mee om na dertig jaar huwelijk nog verliefd op elkaar te zijn.

Haar gedachten dwaalden weg naar John. Ze had nog niets van hem gehoord, dacht ze, het hele weekend al niet. Zat hij ergens te mokken? Zag hij zijn kans om naar Amerika te gaan in rook opgaan door haar weigering? Dat was toch onzin. Waarom moest hij trouwens weer de blits uithangen door businessclass te willen reizen? Waarom was de gewone economyclass, die iedereen nam, niet genoeg?

Hij gedroeg zich wel vreemd, vond ze. Hij schafte allerlei onnodige spullen aan terwijl hij die extra vliegkosten niet eens zelf kon betalen. Die mocht zij betalen. Hij was toch intelligent genoeg om te weten dat zoiets spaak moest lopen? En zij dan, die het vertikte om de geldschieter te zijn. Was zij nou gek of was hij het?

De maandag daarna belde John haar op. Hij was niet vriendelijk gestemd, merkte ze. Hij deelde haar kort mee dat zijn zo gewenste jaar in Amerika op heel losse schroeven stond en dat was haar schuld. Hoe kon dat nou plotseling? Er moest iets heel anders aan de hand zijn, schoot het door haar heen. Het bestond niet dat die reis afhing van een vliegticket businessclass.

John praatte door aan de telefoon. Hij had er nooit aan getwijfeld of zij vond dit een prachtig avontuur en zou van harte bereid zijn mee te gaan. Dan zou hij haar wens om te trouwen inwilligen...

'Hoezo, mijn wens om te trouwen?' gooide ze ertussen. Had ze daar ooit om gevraagd? Voor zover Eva wist was het onderwerp zelden op tafel gekomen. 'Jij wilde dat niet, John. Het waren alleen maar saaie en volgzame lieden die trouwden, verkondigde je altijd.'

'Je wilt ook niet samenwonen.'

'Ik heb eens gezegd dat ik met jou ging samenwonen zo gauw jij me het verschil kon uitleggen tussen samenwonen en trouwen, behalve dan het trouwboekje in de la van het opbergmeubel.'

'Nu ligt het anders,' vond hij nors.

'Ja, het ligt anders,' beaamde ze. 'Jij wilt naar Amerika, en in Amerika gelden andere regels en dan zijn de principes snel overboord.' Ze hoorde hoe sarcastisch ze klonk en bedacht dat ze zich ook zo bitter voelde.

'Ik moet de tickets bestellen.'

Ze zweeg.

'Ben je daar nog?' kwam het ongeduldig.

'Ja, ik ben er nog. Wat houdt jou tegen om een ticket te bestellen?'

'Dat weet je best. Je torpedeert mijn hele toekomst…'

'Ik torpedeer helemaal niets. Jij wilt super-de-luxe reizen, en daar hangt een prijskaartje aan. Wat heeft dat met mij te maken?'

Het bleef stil aan de andere kant van de lijn. Eva kreeg een naar gevoel. Er klopt iets niet, dacht ze.

'Ik kan niet zomaar met een gewone lijndienst vliegen. Ik moet businessclass reizen.'

'Er zijn ook banken, waar je een lening kunt afsluiten,' zei ze bijna spottend.

'Dat is helemaal niet nodig. We kunnen gaan als een normaal getrouwd echtpaar, getrouwd in gemeenschap van goederen…'

Ineens werd ze boos, en ijzig zei ze: 'Nee John, ik ga niet mee.'

De verbinding werd abrupt verbroken.

Eva zuchtte diep. Je dringt niet tot hem door, meid. Als hij je nu niet hoort, hoort hij je straks ook niet. Wees wijs, accepteer het verdriet en ga alleen verder. Wees blij dat dit nu op je pad komt. Stel je voor dat je met hem had samengewoond of zelfs getrouwd was geweest, dan was die hele zaak heel wat harder aangekomen dan nu.

Ze schrok en keek verwilderd om zich heen. Had iemand dat hardop gezegd?

Langzaam legde ze de telefoon op de tafel neer en zuchtte diep.

Problemen, problemen. De een met haar man, de ander met de centen. Waarom ging nou nooit eens iets als vanzelfsprekend? Hoe zou het met Inez gaan? Ze had een tijdje niets gehoord. Was ze alweer terug naar die man of was ze dit keer verstandiger?

Ze liet zich zakken in haar stoel.

Langzaam voelde ze de kilte en de eenzaamheid in zich opkomen. Dit wordt het einde voor John en mij, piekerde ze. Zou oma zich ook zo verlaten en eenzaam hebben gevoeld toen opa in Zuid-Afrika zat? Het was een andere tijd, waarin vrouwen afhankelijk waren. Oma moest zich ook soms radeloos alleen gevoeld hebben, al waren er meer vrouwen in dezelfde omstandigheden. Ze zouden steun aan elkaar hebben gehad.

Oma had opa misschien zelfs wel geadviseerd om te gaan. Ze wist dat ze een jaar lang de zaken alleen moest opknappen met haar nog kleine kinderen, daar had ze in toegestemd.

Ik wist daarentegen nergens van, dacht Eva. Er wordt voor, over en zonder mij beslist en ik mag alleen de portemonnee trekken.

Dat zie ik ook wel in, en ik weet dat ik niet toe mag geven, maar waarom doet het zo'n pijn?

Woensdagavond werd er gebeld, precies om halfacht, zoals was aangekondigd.

Het waren twee vervelende dagen geweest, vond Eva. De telefoon bleef zwijgen, John meldde zich niet, vader en moeder ook niet. Alleen Danny had even gebeld op dinsdagavond om haar een hart onder de riem te steken. De avonden waren kil en leeg geweest. Ze had geen zin om uit te gaan en anderen zorgeloos door de dagen te zien dansen.

Maar nu kwam er iemand op bezoek. Ze was er bijna opgelucht over.

Een man van de klok, dacht Eva en ze drukte op de knop om hem binnen te laten.

Ze liep alvast naar de lift, want het was een oude man, die

meneer Grevinga, en die kwam natuurlijk met de lift naar boven.

Maar ze zag iemand de trap op komen lopen, niet al te snel en het was ook zeker geen jonge man.

Hij zag haar staan en glimlachte al. 'Ja, ik probeer zo veel mogelijk in beweging te blijven. De lift is voor ouwe kerels.'

Hij was de tachtig waarschijnlijk al gepasseerd, dacht ze bijna vrolijk en ze liep met hem mee naar haar appartement.

Hij keek waarderend om zich heen. 'Een leuke kamer,' knikte hij.

Ze vroeg hem zijn jas uit te trekken en hing die aan de kapstok. Hij ging zitten in een gemakkelijke stoel en reikte haar een doosje bonbons aan.

'Dat is toch helemaal niet nodig,' lachte ze.

'Ik overval u een beetje,' gaf hij als reden.

Ze zette het koffiezetapparaat aan en ging tegenover hem zitten. Het zou nog even duren voor de koffie klaar was.

'Ik heb een heleboel vragen,' begon ze vriendelijk.

'Dat begrijp ik.' Hij ging rechtop zitten. 'Laat ik me eerst voorstellen. Roelof of Roelf Grevinga, eenentachtig jaar, gepensioneerd en woonachtig in Zwolle. Sinds drie jaar weduwnaar. Ik heb altijd gewerkt bij de spoorwegen, eerst als machinist, later als werkvoorbereider. Ik heb twee kinderen, allebei getrouwd. Ze wonen in het westen van het land.'

Eva knikte. 'U hebt ook bij mijn moeder aangeklopt?' vroeg ze rustig.

Hij knikte zonder aarzelen. 'Helaas, ze had geen geduld en geen zin in mijn verhalen en vragen.'

Tja, dat was moeder. Ze was blij dat hij er niet omheen draaide.

'U zult vragen: wat moet die oude man van me? Dat wil ik u graag uitleggen. Het is wel een heel verhaal.' Hij leunde nog verder voorover.

'Ik ben geboren in de jaren dertig in Groningen, in een goed rood nest, zoals ze dat noemen. Mijn vader was een gedreven communist, mijn moeder niet minder. Dat is te begrijpen als je weet hoe de omstandigheden voor hen waren als jongelui. Ze zijn allebei geboren in een soort van plaggenhut in omstandigheden die wij ons niet kunnen voorstellen. En dan is een rood nest niet onbegrijpelijk.'

Eva knikte. Ja, dat was bekend. Oost-Groningen was een communistisch bolwerk geweest. Je hoorde er nu niets meer over. Er was geen koude oorlog meer. Er was zelfs een Nederlandse partij op communistische grondslag, die als volkspartij werd beschouwd. Daar was weinig mis mee.

'We woonden even buiten Finsterwolde, mijn vader was landarbeider. Het was een leven in bittere armoede. In de jaren twintig en dertig was maar liefst de helft van de bevolking in die omgeving werkloos. De mensen vertrokken zo veel mogelijk, vooral naar Amerika. Tien procent van de bevolking is geëmigreerd. Later kon dat niet meer, geen geld, geen mogelijkheid om Amerika binnen te komen. De mensen probeerden het in Duitsland, maar dat was ook niet eenvoudig. Daar was ook geen werk na de Eerste Wereldoorlog. En als je in die dagen van een uitkering afhankelijk was, kon je het wel schudden, zeker met een gezin, als je trouwens nog een uitkering kreeg. Mijn vader zat in de werkverschaffing: de hele week van huis, ondergebracht in een soort van werkkamp bij Vlagtwedde. Nou, dan kweek je wel communisten, dat is geen enkel probleem. In 1929 brak een staking uit; de arbeiders eisten tien procent loonsverhoging. Dat klinkt veel, maar de boeren betaalden het minste loon van het hele land, zelfs de textiel betaalde nog vorstelijk vergeleken bij hen.'

En die textiellonen waren niet best, herinnerde Eva zich. Ze had ook weleens horen praten over willekeurige loonsverlagingen door de textielfabrikanten, gevolgd door zware stakingen, die maanden duurden.

'Vijf maanden lang is er gestaakt in Oost-Groningen, het ging hard tegen hard. Er waren nogal wat stakingsbrekers – onderkruipers zoals ze die noemden – die de boel op scherp zetten. De marechaussees kwamen eraan te pas en schoten ook met scherp. Na een bepaalde tijd waren er een paar boeren die toegaven en ingingen op de eisen van de stakers. Maar toen was de bodem van de stakingskas ook bereikt en de stakers moesten toegeven, ook al wilden ze het niet.' Hij keek haar glimlachend aan. 'Ik wilde dat even schetsen, dan weet u uit wat voor een milieu ik kom. Een goed rood nest dus, hoewel het niet altijd even gemakkelijk was in de jaren vijftig. Communisten, hè, bloedgevaarlijke lui, vooral omdat de Russen er zo aan konden komen.' Hij glimlachte, het leek alsof er iets triests over zijn gezicht gleed. 'Ik wil u het verhaal besparen van mijn sollicitatie in de jaren vijftig bij de spoorwegen, de hobbels die ik daar moest nemen voor ik werd aangenomen.'

Ze luisterde gretig. Die geschiedenis van die Groningse staking was haar niet bekend.

'Ik verveel u toch niet?' vroeg hij ineens.

'Helemaal niet, vertelt u alstublieft verder. Maar ik zal eerst koffie inschenken.' Ze sprong op en liep naar het keukentje. Zou hij moeder ook zo'n verhaal hebben verteld, of kreeg hij daar de kans niet eens voor? Het zou Eva niet verwonderen als de deur onverbiddelijk was dichtgesmeten.

Even later liep ze terug met twee mokken koffie.

'Dank u wel,' zei hij. Hij keek haar vriendelijk aan. 'Ik kom nu bij het punt waar het om gaat. Die Emslandkampen.'

Eva slikte iets weg. Florian Schultze en zijn verdwenen grootvader. Hij was in Groningen geweest na zijn ontsnapping, had de man verteld. Wist Grevinga daar het nodige van? En wat had hij daarmee van doen? Hielp hij die Duitser of zat er meer achter?

'Ik weet dat Schultze hier geweest is, daarom heb ik de stoute schoenen aangetrokken en u gebeld. Florian heeft u verteld over die Duitse Emslandkampen in de buurt van de Nederlandse grens?' vroeg hij.

Ze knikte onwillekeurig. Ja, daar had ze de laatste weken meer dan genoeg over vernomen, zowel van hem als via internet.

'Mijn vader was in de jaren dertig weliswaar nog een jonge vent, maar hij zat toch al in het bestuur van de plaatselijke politieke partij, een afdeling van de CPN, de communistische partij. In 1933 werd Adolf Hitler rijkskanselier van Duitsland. De CPN in Nederland zag weldra in dat het in Duitsland de verkeerde kant op ging, terwijl de regering in Den Haag blijkbaar in slaap was gesukkeld. De Groningers die in de grensstreek woonden, zagen dat er flink gebouwd werd aan de Duitse kant, soms maar enkele kilometers over de grens. Er verschenen binnen een tijdsbestek van zes jaar vijftien concentratiekampen, zogenaamd voor de boeven van het Duitse Rijk: moordenaars, dieven en andere misdadigers. Dat werd van officiële zijde verteld. De grensbewoners wisten wel beter. In 1935 was het al redelijk bekend dat er politieke gevangenen zaten in de kampen in die veengebieden. "Veensoldaten" werden ze genoemd. Er is zelfs een bekend lied over die veensoldaten.' Hij roerde in zijn koffie. 'De mensen langs de grens konden soms de gevangenen zien werken onder zware bewaking. Je kon hen horen zingen alsof het vrijheid, blijheid was. Ze werden gedwongen om te zingen, hoor.'

Eva knikte opnieuw. Dat had Schultze ook verteld, en dat was bevestigd op internet.

'De arbeidersbeweging in Duitsland – en niet alleen de communistische of de socialistische vakbond – werd meteen ontmanteld toen Hitler aan het bewind kwam. De leiders werden gearresteerd, zwaar mishandeld en weldra getransporteerd naar die Emslandkampen als ze uit het Roergebied kwamen. Ze leefden daar onder erbarmelijke omstandigheden. Mishandeling, keihard werken in het veen en executies kwamen geregeld voor. Honderden zijn er vermoord in die dagen. Maar daarover hoorde je niets in Nederland. Duitsland was een bevriend land. Pas na 1938, na de Kristallnacht, kregen ze het in Den Haag ook in de gaten dat het niet helemaal snor zat met die nationaalsocialisten in Duitsland. Maar er veranderde niet zo gek veel, althans niet wat de gevangenen van het Emsland betrof. Die waren nog steeds niet welkom in Nederland, en de uitzetting van opgepakte gevangenen ging door tot 1940, tot de Duitsers zelf kwamen...'

Grevinga zweeg en dronk zijn koffiemok leeg.

'Ondertussen zaten de kampen aan de grens overvol met gevangenen, vooral uit het Roergebied, maar communisten uit heel Duitsland werden opgesloten in Börgermoor, een van die kampen.'

Eva knikte langzaam. Grevinga had zich er danig in verdiept, merkte ze. Misschien was vastgebeten een beter woord. Waarom eigenlijk?

'Gevangenen probeerden te ontsnappen uit die hel. Sommigen

lukte dat ook, de meesten niet, die werden neergeschoten. De grens met Nederland was dichtbij, soms maar een paar kilometer. Mijn vader en vele anderen vingen de mensen op. Ze werkten samen met de Rode Hulp. Dat was een internationale beweging onder de vlag van de Communistische Internationale, een beweging te vergelijken met het Rode Kruis, maar dan wel speciaal van communistische origine.'

Hij zweeg weer een tijdje en zette voorzichtig de mok, waar hij een tijdje mee had zitten spelen, op de rand van de kleine tafel.

'Het was niet ongevaarlijk voor die mensen die hulp boden; het was strafbaar. Zoals de burgemeester van Vlagtwedde zei: het waren de zwaarste criminelen van Duitsland die vlak over de grens zaten, en die moesten meteen overgeleverd worden aan de marechaussees, die hen opsloten in afwachting van hun uitlevering aan Duitsland. Sommige opnieuw gepakte gevangenen pleegden liever zelfmoord dan dat ze teruggingen. Dat was voor hen een zekere dood. Maar als ze bij de goede mensen terechtkwamen, werden ze niet overgeleverd. Zo groot waren wij niet met de marechaussee, gaf mijn vader als reden op. Die had genoeg van hen te lijden gehad tijdens die staking van 1929. Hij was toen een jonge vent, met een jong gezin.'

Hij glimlachte en knikte toen ze haar mok zwijgend omhooghield. Ja, hij lustte nog wel een mok koffie.

'Er kwamen veel mensen over de grens, niet alleen die ontsnapten uit de kampen, maar ook anderen, Joden, intellectuelen, wetenschappers. Ze hadden allemaal hun eigen verhaal, maar er zaten ook infiltranten tussen. Die kon je vrij gemakkelijk herkennen, ze waren te goed doorvoed voor een veensoldaat.'

Eva schonk de twee mokken opnieuw vol en ging haastig weer zitten.

'De ontsnapte gevangenen waren vaak mishandeld en ziek. De bevolking vlak aan de grens zorgde dat ze zo snel mogelijk verder werden gebracht. De marechaussee en de politiemensen kwamen geregeld huiszoekingen verrichten. De ontsnapte gevangenen gingen naar de stad Groningen, daar waren betere mogelijkheden om hen te verbergen en uit handen van de Nederlandse autoriteiten te houden. Daar zat een afdeling van die Internationale Rode Hulp, die actief bleef bij hulp aan ontsnapte gevangenen, ook nadat die afdeling was opgeheven in 1938.' Hij zweeg een tijdlang en keek haar toen aan. 'Misschien is het duidelijk wat die kampen betekenden? Hetzelfde als Dachau en Neuengamme. Een van die kampen was een dependance van Neuengamme, zo kun je het betitelen.'

'Is uw vader met die grootvader van Florian Schultze in contact gekomen?' vroeg ze ineens. Was dat misschien de reden dat hij zich er zo in vastgebeten had?

Grevinga keek haar aan en schudde zijn hoofd. 'De ouwe Schultze, zullen we maar zeggen, zat in Börgermoor, en dat was een eindje Duitsland in. Het was het kamp dat het verst van de grens lag. Schultze heeft een heel eind door Duitsland afgelegd. Hij is pas bij Klazienaveen de grens overgestoken.' Grevinga keek Eva aan. 'Hij heeft onderweg op de een of andere manier uw grootvader getroffen en die heeft hem naar Groningen gebracht...'

9

Eva's mond zakte open. 'Mijn grootvader?'

Grevinga knikte.

'Maar die was toen nog jong. Dat was niet iemand die een groepering van de Rode Hulp zou kennen. Mijn grootvader was bovendien geen communist...'

In de verste verte niet, dacht ze. Opa had het niet op die 'rooien', zelfs van de tegenwoordige socialistische partijen moest hij weinig hebben. Hij had zijn leven lang gestemd op een en dezelfde partij en dat bleef hij doen, ook al vond hij dat ze het als regeringspartij er danig bij liet zitten. In de jaren zestig had hij zelfs een petitie ondertekend om te protesteren tegen een ouderling die lid werd van de grootste arbeiderspartij. Die hoorde naar zijn idee niet als ouderling in de kerkenraad. Dat had oma ooit verteld. En dan zou hij als jongeman hebben samengewerkt met communisten? Nee, meneer Grevinga, dit is een vergissing. Je hebt iemand anders voor.

Grevinga grinnikte. 'Nee, dat waren er wel meer niet en toch hielpen ze de Rode Hulp, die de vluchtelingen uit Duitsland opving. Ook zij zagen wel degelijk wat er aan de grens gaande was en dat zoiets niet deugde in een fatsoenlijke rechtsstaat.'

'Opa sprak nooit over de oorlog...'

De oudere man knikte langzaam. Het zou hem bekend zijn, dacht ze.

'U hebt meer dan eens geprobeerd contacten met hem te leggen, nietwaar?' vroeg ze ineens. 'Waarom eigenlijk?'

Hij boog het hoofd. Nee, niet zeggen, dacht hij. Het is een aardig meisje en ze is niet op de hoogte met die oude toestanden uit het grensgebied. Dat kan later nog weleens verteld worden. Ze moet nu ook niet weten wat ik allemaal al van haar en haar familie weet.

'Tja, het is ook wel te begrijpen dat hij er niet over wilde praten. Dat deelt hij met meer mensen.'

'Die grootvader van professor Schultze is spoorloos verdwenen, al voor de oorlog. Dat vertelde de professor mij onlangs. Hoe kan mijn grootvader die man hebben ontmoet?'

Grevinga glimlachte voor zich heen. 'Ontmoeten is het woord niet.' Hij leunde naar voren. 'Laat ik het duidelijk proberen te maken en bij het begin beginnen.'

Ze knikte. Grevinga was lang van stof, maar wat hij vertelde was boeiend en tegelijk beangstigend. Het toonde de mensheid in al haar primitiviteit.

'Ik was nog maar kortgeleden in Esterwegen, in het museum annex archief, speciaal van deze kampen. Er was ook een jonge-man die zijn jeugd had doorgebracht in Dresden, zoals hij zei. We hebben wat gepraat, verder niet. Hij had een heel andere invals-hoek dan ik. Hij zocht zijn grootvader, die ooit was opgesloten in Börgermoor en die spoorloos verdween. Die jongeman wilde graag met iedereen praten die iets kon vertellen over die jaren dertig aan de grens.'

Eva boog zich gespannen voorover.

'De vader van de professor had ook lang geprobeerd uit te vin-den waar zijn vader was gebleven, maar doordat hij in de DDR woonde, kon hij weinig informatie loskrijgen. Hij mocht bij-voorbeeld niet naar West-Duitsland reizen. Florians vader over-leed in 1987, een paar jaar voor de muur viel. Die man heeft nooit geweten wat er precies met zijn vader is gebeurd. Florian nam een paar jaar geleden die speurtocht over. Hij kon gaan en staan waar hij wilde, kreeg toegang tot archieven die voor zijn vader onbereikbaar waren. Hij liet mij een brief zien, die zijn opa in 1940 aan zijn familie geschreven had. Dat is het laatste teken van leven van Wilhelm Schultze geweest. Dat is dus ruim zeven-tig jaar geleden.'

'Zijn er nog mensen in leven die hem toen verder geholpen hadden?'

'Nee, eigenlijk niet. Bovendien waren de namen van die ont-snapte gevangenen vaak niet eens bekend. Hoe minder je wist, hoe minder je kon vertellen. Dat gold tijdens de oorlog, maar daarvoor ook.'

Ze keek de oude man aan. Ja, dat begreep ze wel.

'Vlak voor de oorlog is er een soort van administratie geweest die de namen van ontsnapte gevangenen bijhield en ook de ver-trouwde adressen waar de vluchtelingen konden worden ondergebracht. Die papieren werden zo veel mogelijk vernietigd toen de moffen binnenvielen. Trouwens, voor de oorlog ging bijna alles mondeling. Een telefoontoestel was voor de meesten van ons een rijkeluisinstrument.'

Moffen zegt hij ineens, dacht Eva, dat woord hoor je tegenwoordig bijna niet meer. Hij zal zich wel vergissen, hij praatte steeds over Duitsers.

'Er was eigenlijk maar één man die nog iets wist van een zekere Wilhelm Schultze, die advocaat was geweest in Dresden.'

Misschien zijn er wel meer mensen, dacht Eva, maar willen ze er niet over praten. Er zijn meer mensen die liever vergeten...

'Deze man was heel stellig in zijn verhaal dat Wilhelm Schultze via Klazienaveen Nederland was binnengekomen in januari 1940, midden in de winter. Het vroor dat het kraakte, want in die dagen werd ook een Elfstedentocht verreden.' Grevinga knikte voor zich heen. 'Een jonge vent heeft Schultze naar Groningen gebracht: uw grootvader. Die oude kennis wist dat nog omdat het zo'n jonge jongen was, die met die ontsnapte gevangene half Drenthe door was getrokken, op de fiets in al die kou, nota bene.'

'Ik heb dat nooit gehoord,' zei Eva overtuigd. 'Dat weet niemand van ons.'

Hij keek haar even strak aan. 'Ik had het gevoel dat uw moeder er misschien iets van zou weten, maar ze wilde me niet verder te woord staan en kapte het gesprek meteen af. Ik mocht haar vader niet meer lastigvallen met die oude verhalen, zei ze bij onze enige ontmoeting een tijd geleden.'

Eva zweeg. Haar gedachten draaiden op volle toeren. Moeder was behoorlijk assertief tegenover deze meneer. Moeder scheen meer te weten, was dat zo? Dan wist oom Henk in Australië misschien ook wel iets. Hij was ouder dan zijn enige zuster.

Kon Eva hem een mailtje sturen met die vraag? Ja, waarom niet?

'Kijk, het was een lang verhaal en ik kan me voorstellen dat u denkt: wat heeft die Grevinga daar allemaal mee van node?' Hij keek op. 'Ons pa, zoals wij mijn vader altijd noemden, is omgekomen in de oorlog, in Neuengamme. Hij werd in 1944 verraden en werd naar Duitsland getransporteerd. Ons pa was na de inval van de moffen het verzetswerk in gerold. Dat is met veel kameraden van hem gebeurd. Ik zit nog steeds met de vraag waar ik al jarenlang mee tob: hij is opgepakt door een heel foute kerel, dat is wel bekend, maar wie bracht hem aan? Zo langzamerhand interesseert dat niemand meer, maar voor mij is het nog steeds belangrijk.' Hij zweeg abrupt.

'Heeft dat iets met die geschiedenis van Florian Schultze te maken?' vroeg Eva langzaam. Naar dat Grevinga hem nog kortgeleden had ontmoet, was hij wel erg gegrepen door de geschiedenis van die Duitser.

Hij knikte kort. 'Niet echt, maar juist door mijn verleden begrijp ik die Florian zo goed. Ik zal weinig opschieten als ik het bewijs van het verraad in handen heb, net zomin als Florian zijn opa ooit nog levend zal aantreffen. We zijn inmiddels wel vele jaren verder. Die mensen leven niet meer.'

Haar wenkbrauwen ging omhoog. Ze zei echter niets. Het schiep een band, dat wel. Ze was verbaasd: opa die fietsend in de bittere vrieskou dwars door Drenthe een vluchteling afleverde in Groningen...

Ze schrok op toen Grevinga weer begon te praten.

'Wilhelm Schultze kreeg in Groningen valse papieren overhandigd. Dat gebeurde wel vaker. Veel van die ontsnapte gevangenen zijn vertrokken naar Spanje om in de burgeroorlog daar te vechten tegen Franco. De meesten van die mannen zijn in het niets verdwenen, omgekomen in Spanje of ze hebben ergens anders een bestaan opgebouwd. Een enkele keer werd nog weleens iets vernomen, een kort briefje dat ze veilig waren aangekomen op de plaats van bestemming, maar vaker hoorde men niets, zeker niet als ze voor Spanje hadden gekozen.'

Ze keek hem peinzend aan. 'Maar wat is er dan zo vreemd aan die meneer Schultze? Men hoorde heel vaak niets meer van hen, zegt u net.'

Hij keek even op en knikte kort. Oppassen, dacht hij, ze is niet dom. Het kan zijn dat ze het achterste van haar tong niet laat zien...

'Florians familie hoorde, na die ene brief, nooit meer iets van hun man en vader. Denk je eens even in wat dat betekent.'

Ze keek hem zwijgend aan. Hij sloeg ineens zijn ogen neer. Waarom doet hij dat, dacht ze. Ik zou eerder mijn ogen moeten neerslaan na die opmerking. Ik laat wel blijken dat ik er weinig voor opensta en helemaal niets weet.

Hij kuchte kort en vervolgde: 'De meeste ontsnapten waren bezorgd om hun achtergebleven familie. Ze zochten naar mogelijkheden om hen te laten vertrekken uit Duitsland. Soms is dat ook gelukt via organisaties als het Rode Kruis.'

Ze begreep het, knikte ze.

'Ook Schultze had vrouw en kinderen in Duitsland, maar hij heeft geen enkele poging ondernomen om hen in die jaren Duitsland uit te krijgen of zelfs maar contact met hen te leggen. Net wat ik al zei, die familie heeft nooit meer iets van man en vader vernomen.'

'Ja, dat hoorde ik ook van die professor,' zei ze meteen.

Grevinga haalde diep adem. 'Het spoor van Wilhelm Schultze houdt op bij uw grootvader. Hij is de laatste die daadwerkelijk met die man in contact is geweest. Hij heeft de man bij veilige adressen in Groningen ondergebracht en na een paar weken ook naar een bepaald adres begeleid in Drenthe, al had hij er niet veel trek in, dat mag gezegd worden. Op dat adres in Assen wachtte iemand die Schultze verder zou brengen.'

'En toen?'

Grevinga zuchtte. 'Helaas, dat is het merkwaardige. Schultze is daar nooit aangekomen. Vanaf dat moment verdween die advocaat uit Dresden letterlijk in het niets.'

Eva slikte iets weg. Ze begreep ineens waarom Florian Schultze graag met opa had willen praten en daar net te laat voor kwam. Hoe kwamen ze trouwens aan opa's adres? Ze vroeg het hardop.

Grevinga glimlachte. 'Dat is nog een hele speurtocht geweest. Ik kende de naam van uw grootvader, Jacob Reijnders, ik wist ook dat hij uit het zuidoosten van Drenthe kwam. In dat dorpje kende men de familie Reijnders nog wel. Er leefden nog verre neven en nichten, en die wisten te vertellen dat hun verre oom jaren geleden was vertrokken naar Twente; ze hadden zelfs nog een adres, al kenden ze hem niet meer persoonlijk.'

Grevinga zweeg ineens.

Eva keek hem onderzoekend aan. Waarom zweeg hij zo plotseling?

'Namen ze het hem kwalijk dat hij in Duitsland werkte in de oorlogsjaren?' vroeg ze.

De oudere man schudde zijn hoofd. 'Er waren altijd al veel mensen in het grensgebied die in Duitsland werkten. Uw grootvader werkte daar allang voor de oorlog begon. Hij is gewoon bij die boerenfamilie gebleven.'

Hij weet toch wel erg veel van opa, dacht ze. Had de Drentse familie dat allemaal verteld?

'Weet u waar die familie precies woonde?'

Grevinga zweeg even. 'Nee, dat weet ik niet. Ik heb dat adres niet kunnen achterhalen. De familie van Jacob wist het niet meer,' zei hij. 'Het is een groot gebied en er waren veel boerderijen, ondanks het feit dat het een dunbevolkt gebied was en nog steeds is.' Hij keek haar schuin aan. Dat wil ik juist zo graag weten, juffrouw, dacht hij. Dat probeer ik van jou en je familie te weten te komen. Volgens mij weten jullie het wel, tenminste, dat hoop ik.

Eva merkte zijn blik niet.

'Uw familie in Drenthe kon eigenlijk niet zoveel vertellen over die tijd. Het waren zwarte tijden voor iedereen. Het enige wat ze kwijt wilden was dat hij bij een boer werkte, die in de buurt woonde van een van die Emslandkampen. Toen de bevrijding kwam, had hij verteld dat hij niet langer als boerenknecht wilde werken. Hij had te veel gezien, zei hij destijds. Hij moest niets meer van die moffen hebben. Daar was hij zeker de enige niet in.'

Dat klopte tot op zekere hoogte. Opa was nooit genegen om naar Duitsland te gaan, zelfs vele jaren later niet. Ook moeder had iets van die aversie overgenomen, had Eva weleens gemerkt.

'Hij heeft ongetwijfeld akelige dingen meegemaakt die niet geschikt zijn voor jonge mensen. We weten ondertussen aardig goed wat zich allemaal heeft afgespeeld in die kampen, en hij moet daar het nodige van hebben gezien, vooral toen de kampen werden gebruikt voor krijgsgevangenen tijdens de oorlogsjaren.

Dat wordt ook verteld door anderen die in het Emsland hebben gewerkt. Er hebben onder anderen tienduizenden Russen gezeten, de meesten van hen zijn omgekomen in die jaren en verdwenen in anonieme graven. Pas de laatste twintig jaar komt stukje bij beetje de geschiedenis tevoorschijn, en die is afschuwelijk.'

Het was bijna elf uur toen Grevinga vertrok. Hij had nog een halfuurtje te rijden voor hij thuis was, maar hij was een nachtmens. Hij ging nooit voor twaalf uur naar bed, zei hij opgewekt.

Hij zag haar staan voor het raam van haar appartement en stak een hand op voor hij in zijn auto stapte en daar even bleef zitten.

Hij zuchtte diep. Ze was niet op de hoogte, dacht hij. Dat had hij ergens wel een beetje gehoopt. Maar ze was aardig en bereidwillig genoeg.

En dat was misschien alleen maar goed. Hij had in het verleden vaker geprobeerd contacten te leggen, maar dat was altijd vastberaden afgehouden. Die grootvader, die moeder, ze hadden beiden de deur voor zijn neus dichtgegooid. Het was de vraag wat die moeder wist. Misschien wist ze ook niets en had Jacob het allemaal voor zich gehouden. Hij had misschien wel gelijk: zo fraai was de levensgeschiedenis van Jacob Reijnders niet.

In ieder geval had Roelof nu weer een ingangspoort naar de familie. Die was lang gesloten geweest, afgebakend door een weerbarstige oude man en zijn even halsstarrige dochter. Hij moest voorzichtig zijn. Dit meisje was de weg en die moest hij niet kwijtraken… Hij had vanavond niet te veel verteld. Hij had ook zijn eigen beweegredenen niet prijsgegeven. Het was ook beter dat ze die niet kende. Hij had het alleen over een verrader gehad, het was nog te vroeg om in details te treden.

Toen reed hij weg het donker in, richting Zwolle. Hij was weinig wijzer geworden. Maar dat was niet erg. Het meisje had gretig geluisterd, en ze was intelligent genoeg om de weg te vinden die naar antwoorden leidde.

Eva ging nog even in de hoek van de bank zitten. Ze had veel om over na te denken. Opa had die Wilhelm Schultze weggebracht en hij was nooit met hem aangekomen op het afgesproken adres. Dat was merkwaardig. Wat was er onderweg gebeurd?

Hadden hun wegen zich gescheiden? Dat kon bijna niet, dat was ook onwaarschijnlijk. Een man met valse papieren liet je niet zomaar ergens achter. En wat had Grevinga nu precies gewild? Dat was haar ook niet duidelijk.

Ineens kwam ze overeind. Ze ging een mailtje sturen naar oom Henk in Australië. Misschien kon die iets ophelderen, wie weet. Niet geschoten was altijd mis.

Ze liep naar haar werkkamertje en zette de computer aan. Bijna halftwaalf, dacht ze. Morgen was het weer vroeg dag. Nee, van een keer laat naar bed gaan ging ze niet dood.

En ijverig begon ze aan een lange e-mail richting Australië.

Het werd een raar weekend, dacht ze later. Het was een van de weinige keren dat ze helemaal alleen was. John had zich niet weer gemeld en zich evenmin laten zien.

De ouwelui waren een weekend weg. Dat deden ze wel vaker, er even tussenuit voor een paar dagen. Maandagavond waren ze terug.

Of Eva nog even de post wilde binnenhalen, die zaterdags meestal uit de bus stak?

Ze wandelde tegen twaalf uur naar haar ouderlijk huis. Het weer was somber, merkte ze. Ze was vanmorgen wat later opgestaan en had eerst haar boodschappen gehaald. Nee, ze had geen rekening gehouden met John. Geen extra broodjes, geen lekkere dingetjes waar hij zo dol op was. Ze verwachtte hem niet dit weekend. Ze was er zelf een beetje verbaasd over, maar ergens had ze al afscheid van hem genomen. Het was al niet zo'n akelige gedachte meer dat John misschien binnenkort geen deel meer van haar leven zou uitmaken.

Het deed nog pijn, maar voor de rest was er een rust die ze lang niet gekend had.

Het had al even geregend terwijl ze in de supermarkt aan het winkelen was. Het zag eruit dat het opnieuw zou gaan regenen. Vanmiddag maar eens lekker in huis rommelen, dacht ze bijna tevreden, ondanks dat ze een leeg gevoel had om John.

Ze had vanmorgen met een grimas een aanvraag voor het examen op de post gedaan. Dat moest vrij lang van tevoren gebeuren. Tja, als ik John zijn zin had gegeven, had ik dit niet hoeven te doen, dacht ze terwijl de brief in de bus gleed.

Ze draaide de sleutel om in de stevige buitendeur van de ouderlijke woning en stapte naar binnen.

De keuken was keurig opgeruimd. Dat kon je aan moeder Sonja overlaten, die ging niet weg met een vuile vaat in de machine.

De kamer lag erbij als een plaatje, de kussens keurig recht in de bank, de stoelen om de tafel, strak in het gelid. De slaapkamer zou even steriel zijn, dacht Eva en ze stak haar hoofd om de deur. Haar ouders sliepen beneden.

Ze grinnikte. Ja hoor, het bed was keurig opgemaakt, de kussens opgeschud. Als haar ouders thuis waren, was het veel minder steriel. Dan lag het dekbed gewoon dubbelgeslagen over het voeteneinde. En dan lag er een plaid over de bank. Sonja was kouwelijk en sloeg vaak 's avonds een deken om zich heen.

Er stond een donker kistje op het nachtkastje dat er nooit eerder gestaan had, zag Eva. Had moeder iets nieuws gekocht?

Nee, het was niet nieuw, dat was duidelijk te zien. Had ze iets opgeduikeld uit de ouwe doos? Moeder kon moeilijk iets wegdoen.

Ze liep ernaartoe. Ongegeneerd tilde ze het kistje op. Ze voelde zich niet bezwaard. Dat deed moeder ook bij haar als ze eens weg was. Dat vond ze ook niet erg.

Het was een half papieren doosje, zoals je die vroeger wel meer zag, donkerbruin overtrokken met iets van nepleer dat weinig meer was dan stevig papier.

Er zaten wat papieren in. Een oud trouwboekje. Ach, natuurlijk, dat was nog een doosje van oma. Oma bewaarde daar de papieren in die zij belangrijk vond. Trouwboekje, inentingspapieren van de kinderen, zag ze. Oma was daar vroeger secuur in.

Nog een paar boekjes met aantekeningen, zag Eva. Zou moeder die willen bewaren of zou ze die straks weg willen gooien? Dan zou Eva dit doosje graag willen hebben. Ze hield wel van oude papieren. Ze had een map in de kast staan waarin ze zelf ook dat soort papieren bewaarde.

Ze zou het moeder vragen.

Ze wilde het doosje al terugzetten toen ze nog een boekje zag. Een klein aantekenboekje uit de jaren vijftig. Ze bladerde erin. Het handschrift van oma, zag ze. Geen vloeiend handschrift, maar het schrift van iemand die niet gewend was aan vaak en veel schrijven.

Hij is vandaag weggegaan, mijn Jacob. Ik zal hem een jaar niet meer zien.

Een soort van dagboekje? Nee, daar was het te klein voor. Het was ook onregelmatig bijgehouden, soms weken niet, soms ineens een paar dagen achter elkaar een paar regels. Het waren aantekeningen over de dagelijkse gang van zaken.

Aardappels waren duurder geworden, brood ook. Gelukkig dat Jacob zo goed verdiende daar in Zuid-Afrika... Vandaag kwam een brief van Jacob...

Eva glimlachte vertederd. Die oma toch, ze had zich goed door dat jaar heen geslagen dat opa weg was.

Ze wilde het boekje alweer dichtklappen en terugleggen toen haar oog viel op een aantekening die iets langer was dan de andere stukjes tekst.

Er was vandaag een man aan de deur, een jonge vent. Grevinga heette hij, las Eva ineens met een schok. *Hij wilde iets weten over Jacob en zijn ervaringen in de oorlog. Jacob heeft het daar nooit over gehad. Hij had zich nooit ergens mee bemoeid, zegt hij altijd. Hij heeft gewerkt in Duitsland als boerenknecht, meer niet. Ik begrijp niet wat die man wil...*

Eva liet het boekje zakken.

Grevinga was op zoek naar de man die zijn vader had verraden, dat had hij verteld. Maar hij had verzwegen dat hij ook al bij oma aan de deur had gestaan, meer dan vijftig jaar geleden.

Geen wonder dat moeder zich afstandelijk betoonde als ze wist dat hij ook al bij oma was geweest.

Opa wist niets van een heel foute vent in de oorlog. Daar kon hij ook niets van weten, hij had in die tijd in Duitsland gewerkt. Waarom stond Grevinga dan toch bij oma en later ook bij moeder en nu weer bij haar op de stoep? Ze had het zich al meer dan eens afgevraagd: waarom was hij zo geïnteresseerd in die geschiedenis van Wilhelm Schultze?

En wat had Florian Schultze daar allemaal mee van doen?

Langzaam stond ze op en ze zette het kistje terug op het nachtkastje. Het kleine boekje had ze al in haar mantelzak gestoken. Moeder had het beslist nog niet gezien, anders zou zij het waarschijnlijk vernietigd hebben.

In gedachten verzonken haalde Eva de post uit de bus en legde die netjes op de keukentafel.

Het was niet veel bijzonders. De krant en een brief van de bank. Vader Piet ging echt niet aan het internetbankieren. Hij deed dat nog ouderwets, gewoon de betaalopdrachten naar de bank brengen.

Een paar folders, een reclame voor een nieuwe auto. Daar zou vader Piet nog wel naar kijken, die was dol op auto's.

Eva keek nog even om. Er was geen enkele ongerechtigheid te zien in de kamer of in de keuken, en rustig liep ze weer naar buiten en sloot de deur zorgvuldig af.

10

Thuisgekomen ploos ze het boekje van oma na en las het van voren naar achteren. Er stonden alleen simpele mededelingen over het leven van alledag in, de boodschappen die duurder waren geworden, de buurvrouw die voor de zevende keer in verwachting was. *Goed rooms, het zal niet de laatste keer zijn*, had oma er nog bij geschreven. Oma was nog van de verzuiling, dacht Eva ironisch. Ze zou niet blij zijn geweest met een katholieke schoonzoon of schoondochter.

Die mededeling over de komst van die jonge Grevinga was de enige aantekening gebleven.

Grevinga had zich blijkbaar nooit meer laten zien bij oma. Had oma hem weggestuurd, of had de man begrepen dat ze van niets wist? Want dat bleek duidelijk uit die ene aantekening.

Dat hele boekje besloeg trouwens alleen het jaar dat opa weg was naar Zuid-Afrika. Toen hij terug was, had oma blijkbaar geen behoefte meer om nog enige ontboezemingen op te schrijven.

Opa had het altijd bewaard. Zou hij hebben geweten wat er precies in stond? Had hij oma ooit iets verteld over zijn jonge jaren in die roerige jaren dertig? Hij had het boekje intact gelaten en niet dat ene blaadje eruit gescheurd.

Was dat nou toeval dat ze dit moest vinden, vroeg Eva zich af. Moeder had het vast niet doorgebladerd; misschien had opa dat ook niet gedaan. Hij bewaarde het omdat het boekje van oma was. Oma en hij. Ze hadden elkaar op een redelijk laat punt in hun leven leren kennen, opa was bijna veertig, oma bijna dertig toen ze trouwden. Maar het was een eenheid geweest, dat huwelijk. Oma ging over de knip en dat deed ze ook nog toen opa gepensioneerd was.

'Jacob, wat dacht je van een nieuwe stoel?'

'Dan zoek je er toch eentje uit, dat weet jij het best.'

'Jacob, je hebt een nieuw pak voor de zondag nodig.'

'Ach, vind je dat nou echt?' Opa had een hekel aan winkelen, maar ging gehoorzaam mee.

Zo ging dat. Moeder mocht dat graag vertellen.

Sonja had vast niet verder gekeken dan het trouwboekje en de boekjes van inenting van de kinderen. Misschien even gebladerd in dat boekje met de gedachte dat er niet veel bijzonders in stond.

Tegen één uur legde Eva het boekje neer en maakte ze zich wat te eten. Daarna liep ze naar de computer om te kijken of er nog wat mailtjes waren gekomen. Ze had nog niets uit Australië vernomen.

Er waren een paar nieuwsbrieven waar ze op geabonneerd was. Een mailtje van een oude kennis, die iets wilde weten over een aanstaande reünie van de lagere school. Daar was ze snel klaar mee. *Daar is me niets van bekend*, schreef ze terug. Het interesseerde haar bovendien ook niet.

Ze las nog even een krant op internet en wilde eigenlijk de computer weer uitzetten want het sloeg al twee uur, toen ze ineens intikte: Roelof Grevinga. Zo heette de bezoeker van deze week voluit en ook zijn vader heette Roelof. Dat had hij verteld.

Tot haar verrassing kwam er het een en ander tevoorschijn. Roelof Grevinga, een communist, actievoerder en verzetsman uit Finsterwolde. Dat was de oude, dacht ze een beetje oneerbiedig. Omgekomen in Neuengamme in januari 1945.

Dat klopte, dat had Grevinga ook verteld. De man was midden 1944 opgepakt toen hij onderweg was met illegale kranten. Gewoon opgepakt? Of verraden, en door wie?

Er was een hele beschrijving van de man. Geïnteresseerd las Eva het door. Hij was een gedreven communist en een van de voormannen van de landarbeidersstaking van 1929 in Oldambt. Hij had eind jaren dertig geregeld mensen verder geholpen die Duitsland ontvlucht waren. Grevinga was actief verzetsman in de oorlog, gearresteerd en verhoord in de stad Groningen, daarna op transport gesteld naar Neuengamme, waar hij was omgekomen.

Eva leunde achterover. Grevinga had niet gelogen over zijn geschiedenis, dacht ze. Het klopte woord voor woord. Net als trouwens het verhaal van Florian Schultze.

Maar wat was er waar van die mysterieuze geschiedenis van Wilhelm Schultze, de man die spoorloos verdween terwijl hij in het gezelschap van een tiener op weg was naar de vrijheid?

Ze tikte de naam Wilhelm Schultze in. Niets, zag ze. Die naam had het internet niet gehaald.

Nee, dat moest haar niet verbazen. De grootvader van Florian was een advocaat geweest uit Dresden en lid van de communistische partij, had Schultze verteld. Voor de nazi's een staatsgevaarlijk individu. Hij was waarschijnlijk een advocaat die andere communisten had verdedigd voor de rechtbank. Dan laadde je al snel een bepaalde aandacht op je, die je toen beter niet kon hebben.

Hoe had opa Reijnders die man ontmoet? Had hij hem misschien ontdekt ergens achter Coevorden in een droge sloot en hem daarna dwars door Drenthe naar Groningen gebracht? Een gevangene uit het veen en een jongeman... Had opa de man getroffen in Duitsland, vlak bij die kampen?

Grevinga wist dat allemaal. Van wie wist hij dat? Wat wilde hij eigenlijk precies weten? En wat had opa daarmee te maken?

Vreemd, dat kleine boekje van oma met die ene opmerking.

Ach, misschien had oma er nooit over gesproken met wie dan ook. En toen opa terugkwam uit Zuid-Afrika had ze het gewoon vergeten. Dat kon toch? In de familie hing men niet aan oude verhalen.

Wat had Grevinga bewogen om nu weer terug te keren naar Jacob Reijnders en zijn familie in Twente? Was dat de ontmoeting met die jonge professor of het overlijden van opa? Wat wist moeder eigenlijk?

Was zij bang dat er iets aan het licht zou komen dat beter verborgen kon blijven? Of was het haar gewone houding: ik wil er niets mee te maken hebben?

Tegen de avond kreeg Eva bezoek van haar vriendin Inez. Ze was er niet echt blij mee toen ze haar, via de intercom, in de kleine hal van het appartementengebouw zag staan.

Inez' gedrag was hetzelfde als de vorige keren. Twijfel, angst misschien en toch kiezen voor de weg van de minste weerstand, namelijk teruggaan. Wanneer zou de tijd komen dat haar ogen opengingen? Of kon ze die laatste stap niet zetten? Te veel moeite, te veel onzekerheid... Alsof ze nu wel zekerheid kende.

Kun jij dat dan wel, praatte ze tegen zichzelf terwijl ze op de knop drukte om de buitendeur te openen. Je laat het ook mooi sloffen. John loopt weg en jij blijft stilletjes afwachten. Je laat het initiatief bij John. Wat wil jij dan eigenlijk?

Eva had Inez de laatste dagen niet gezien of gesproken. Ze wist ook niet of de jonge vrouw nog bij haar ouders bivakkeerde of terug was naar haar man.

Waarschijnlijk was ze nog bij haar ouders, dacht Eva terwijl ze de deur van haar woning opende. Wedden dat ze steun komt zoeken voor de stap naar huis, want ze gaat terug, dat is zo klaar als een klontje. Dat weet haar moeder ook. Misschien dat haar moeder deze keer heeft gezegd: de deur zit vanaf nu dicht voor je. Ach nee, dat zei moeder Hettie niet, al was ze nog zo fel voor een definitieve breuk.

En zo bleef Inez dartelen tussen de echtelijke woning en haar ouders.

Inez ging zitten op de bank. Ze bleef een tijdje zwijgen en staarde toen Eva aan, die afwachtte. 'Ik eh... wou zeggen...' Ze zweeg.

Eva keek haar stroef aan. 'Dat je teruggaat naar je man,' knikte ze toen.

'Ja.' Meer niet.

'Dat is jouw keuze,' zei Eva koeltjes.

'Je kijkt niet vreemd op...'

'Nee, ik had het verwacht,' antwoordde Eva even koel. 'Laten we eerlijk zijn, het is al eerder gebeurd.'

Inez zweeg opnieuw, toen zei ze fel: 'Ik kan niet anders.'

'Klets, je kunt best anders,' merkte Eva wreed op. 'Je kiest de weg van de minste weerstand. Scheiding is zo'n toestand met alles erop en eraan. Maar meid, geloof maar één ding: jij kiest van twee kwaden de slechtste.'

'Ik blijf berooid achter...'

'Dat doe je nu ook. Dat maakt niet uit.' Eva stond op en liep naar het keukentje. Ze schonk een mok koffie in voor Inez en nam zelf niets.

Inez zat kaarsrecht op de bank, de handen ineengestrengeld. 'Je begrijpt het niet. Jij bent niet getrouwd...'

'Nee Inez, ik denk dat jíj het niet begrijpt. Je moeder, je vader, je broer, je zus, je vriendinnen, iedereen vertelt je dat het beter is uit dat huwelijk te stappen. Denk jij dat iedereen het fout ziet en jij, als enige, het bij het juiste eind hebt?'

Het klonk hard, dacht Eva. Misschien was het nodig. De moeder van Inez zou ook genoeg hebben gezegd.

'Hij heeft echt beterschap beloofd. Hij gaat een baan zoeken…'

Eva lachte hardop. 'Ja, dat heeft hij ook al eerder beloofd, en nooit gedaan. Waarom zou hij ook? Jij trapt er toch steeds weer in. Maar goed, het is jouw leven, jouw toekomst.'

'Mijn moeder zegt hetzelfde…'

'Tja, zij begrijpt er ook niets van, nietwaar?'

Het bleef stil. Ineens stond Inez op en ze liep naar de deur. 'Ik denk dat ik maar ga,' zei ze.

Eva knikte enkel. Ja meid, ik weet waarom je kwam. Je wilde horen dat ik je gelijk gaf. Sorry, maar over een paar maanden zit je hier weer met hetzelfde verhaal. Misschien moest ik dan de deur maar eens dichthouden voor je; dat is soms gezonder dan meezingen in jouw ballade van ellende.

Nee, ik houd je niet tegen. Ik heb namelijk zelf ook genoeg aan mijn hoofd.

Ze zat zwaar in twijfel, dacht Eva terwijl ze de buitendeur hoorde dichtslaan. Net als ik. Inez was niet verbaasd dat John er niet was. Ze had waarschijnlijk rondgekeken op de parkeerplaats en gezien dat die opvallende auto er niet stond en dat karretje van haar wel.

Ze zette de televisie aan en keek naar het scherm. Er was een of andere film die haar niet boeide. Er boeide haar eigenlijk niets.

John… Ja Inez, ik begrijp je gedachten heel goed. Jij hebt een heel wat vastere band met je man dan ik met John. En ik weet me al amper raad met mijn twijfel. Moet ik hem zijn zin geven, alles opgeven hier en meegaan naar Amerika, mijn portemonnee trekken en straks in een huwelijk dagelijks strijd leveren om de centen?

Zou het zo erg zijn? Het kon nog best meevallen…

Nee Eva, het valt niet mee. Een man die zonder enig bezwaar om geld vraagt omdat hij er zelf alles doorjaagt, deugt niet. Zijn moeder zegt het, jouw vader zegt het, Koos en Danny ook. Zien zij het dan allemaal verkeerd, of zie jij het verkeerd? Dezelfde vraag die je aan Inez stelde. Wie van jullie beiden is de verstandigste?

De dag daarop, zondag, bleef ze thuis. Ze wilde niemand zien.

Ze las wat, ze zat even achter de computer en viel even na de middag in slaap. Met een schok werd ze tegen vier uur wakker.

De bel, dacht ze. Was er iemand aan de bel? Wie dan? John?

Meteen was ze overeind. Nee, John niet, die had nog een sleutel. Die zou even aanbellen en meteen naar binnen stappen.

Wie dan? Vader en moeder waren nog niet terug, die kwamen pas morgenavond terug.

Inez weer? Ze drukte op de knop om te zien wie er voor de deur stond. Niemand, er was niemand. Ze was blijkbaar ergens anders van geschrokken.

Langzaam slenterde ze door de kamer naar de keuken. Koffie, daar had ze wel zin in.

Ze zat net weer in haar stoel met een mok koffie toen de telefoon rinkelde. Ze keek op de nummermelding. Onbekend, dacht ze.

Ze meldde zich met haar volle naam, zoals ze altijd deed als ze het nummer niet herkende.

Het duurde een paar seconden voor ze in de gaten kreeg wie ze aan de lijn had. Met een wat onduidelijke dubbele tong meldde zich John.

Waar was die mee bezig, dacht ze. Hij leek wel halfdronken. Misschien was hij dat ook wel.

'Je krijgt nog een week…' hoorde ze uit de hoorn.

'Waarvoor?' vroeg ze ineens ijzig. Ze had het gevoel dat ze een emmer ijskoud water over zich heen had gekregen. Ze keek naar haar arm. Kippenvel, dacht ze.

'Om mee te gaan naar A…Amerika.'

'En anders?'

'Dan gaat iemand anders mee.' Het moest krachtdadig klinken, maar het klonk zoals het waarschijnlijk was: hij had te veel gedronken en sloeg onzin uit.

Ze haalde diep adem. Tientallen opmerkingen cirkelden door haar hoofd. Laten we er nog eens over praten, John. Zo kan het toch niet... Je kunt je toch geen stuk in de kraag drinken? Wie is bereid met jou mee te gaan?

Maar ze zei het niet. Het was net of iemand anders de regie overnam, en ijskoud zei ze: 'John, als jij iemand hebt die graag mee wil en die jouw reis wil betalen, dan moet je diegene vooral meenemen.'

De verbinding werd abrupt verbroken. Ja, daar was hij sterk in, het was niet de eerste keer dat hij meteen afbrak.

Ze legde de telefoon voor zich neer op de kleine tafel. Nou meid, gefeliciteerd, je hebt zojuist een twee jaar lange relatie naar de Filistijnen geholpen. Er was misschien nog een kleine kans dat het allemaal ten goede zou draaien, maar nu is het een bekeken zaak.

Ze voelde iets over haar wang glijden. Een traan. Het deed zo'n pijn, besefte ze. Ze had John altijd graag gemogen, ook al wist ze dat hij zijn fouten had. Die had zij immers ook.

Wat had Inez lang geleden eens gezegd toen zij net met die man van haar omging? Hij was toen nog samen met iemand anders. 'Die vriendin kan hem niet geven wat hij nodig heeft.'

'Kun jij dat wel?' had Eva toen gevraagd.

Daar kwam geen antwoord op.

Eva wist het inmiddels wel. Niemand was perfect. Niemand kon zijn partner ooit helemaal geven wat hij nodig had. Het was ergens een troost om te weten dat de ander het ook niet kon. Een mens moest het er maar mee doen, meer dan proberen het beste te geven ging niet.

Tja, dacht Eva terwijl ze opstond. Je leest nooit over dit soort pijn in die moderne romannetjes. Daar gaat het allemaal even rimpelloos.

Maar misschien zie ik het helemaal verkeerd. Kijk eens wat je allemaal nog hebt, meisje: een leuk huis, een redelijke baan, je ouwelui, een aardige broer en een aardige schoonzus. Je hebt financieel niets te klagen. Dat is veel. Er zijn bosjes mensen die dat niet kennen.

Ze staarde even voor zich uit. Iemand anders wilde wel mee.

Wat bedoelde John daarmee? Had hij zich al getroost met iemand anders? Nee, dacht ze, zo is hij niet.

Maar hij wilde wel erg graag naar Amerika en daar had hij blijkbaar veel, zo niet alles, voor over.

Ze was blij dat het maandagmorgen was en dat was ze niet vaak. Zo dol was ze niet op haar werk dat ze juichend de maandagmorgen begroette. Ze had er ook geen hekel aan, maar een vrije dag beschouwde ze als luxe.

Ze had slecht geslapen vannacht. Die opmerking van John hield haar wakker. Iemand anders wil wel graag mee.

Bedoelde hij werkelijk wat hij zei? Moest ze hem bellen met de mededeling dat ze er nog eens over nagedacht had? Dat ze wel meeging?

Meid, houd je verstand erbij, dat heb je niet voor niets gekregen. Als hij zo lichtvaardig denkt over jullie relatie, mag je alleen maar blij zijn dat je er met een paar tranen van afkomt. En toch... is het pure bluf of meent hij het?

Ze stapte half verstrooid en diep in gedachten in de trein naar Zwolle, knikte naar een paar bekende gezichten en dook weg in een hoekje.

Nee, niet praten, daar had ze geen zin in, meestal niet trouwens.

De trein reed weg en ineens ging iemand tegenover haar zitten. Ze kende de jongeman van gezicht, ze had weleens met hem gepraat. Hij woonde vlak bij haar ouders in de buurt en ook niet ver van de ouders van Inez. Het was een jonge jongen die nog in opleiding was, had hij weleens verteld. Hij ging nog twee dagen in de week naar school in Zwolle.

'Hallo, jij bent toch een vriendin van Inez Zandink?' vroeg hij.

Ze schrok op. Inez was zaterdagavond nog bij haar op bezoek geweest, maar heel kort, ze was onverwacht opgestapt. Een beetje boos, een beetje verongelijkt.

'Ja, waarom vraag je dat?'

'Ik hoorde dat ze zaterdagavond laat door die man van haar in elkaar is geslagen, nota bene bij haar moeder in huis. Ja, de vent is opgepakt.' Hij keek haar aan alsof hij het graag wilde vertellen.

Eva verbleekte. 'Dat geloof ik niet. Ik heb haar zaterdag nog gesproken.'

De ander knikte. 'Ik woon er niet ver vandaan, zoals je weet. Het schijnt echt wel waar te zijn. Ik was niet thuis, maar mijn ouwelui hebben de politieauto zien staan. Later kwam ook de ambulance. Ze is naar het ziekenhuis gebracht. Ze schijnt er slecht aan toe te zijn, ze ligt op de intensive care, zei mijn moeder.'

Eva slikte iets weg. Ik had niet zo bot moeten zijn, dacht ze. Nou ligt ze in het ziekenhuis... Misschien gaat ze wel dood. Ik moet vanavond meteen naar haar moeder. Nee, ik bel vandaag nog eerst.

'Volgens mijn moeder ligt ze in scheiding met die man.'

Eva knikte onwillekeurig. Ja, in scheiding liggen was niet helemaal waar, maar ze was wel thuis bij haar ouders. Hoe kon dat nou, ze wilde toch terug naar huis? Was Inez dan alleen? Waren haar ouders er niet?

'Hij schijnt het niet te kunnen verkroppen dat ze hem aan de kant heeft gezet,' zei de jongen weer. Het was voor hem weinig meer dan een stuk sensatie, merkte ze.

Man, houd op met kletsen, dacht ze. Ik heb liever dat je teruggaat naar je plaats.

Hij stond weer op toen hij merkte dat ze afwezig werd en niet zo belangstellend was als hij had gedacht.

'Ik wou het toch maar even zeggen,' mompelde hij nog.

Ze knikte en bromde iets van: bedankt. Ze was mijlenver weg met haar gedachten. Arme Inez. Of domme Inez? Wat was het?

11

Diezelfde avond zat ze bij de moeder van Inez aan de tafel, danig geschokt door het hele verhaal over de jonge vrouw. Ze had een beetje timide verteld dat Inez zaterdag voortijdig weggegaan was.

Er volgde een snelle blik, zag Eva.

'Ze was van plan naar jou toe te gaan, als je tenminste alleen was,' zei de vrouw toen zachtjes.

'Ja, ze kwam zeggen dat ze terugging naar die man,' mompelde Eva.

'Ja, en jij zei waarschijnlijk hetzelfde als ik: je bent gek. En dat viel niet in goede aarde.'

'Zoiets, ja. Ze is heel snel weer weggegaan.'

De vrouw zuchtte. 'Ik heb dit zien aankomen, Eva. Ik wist dat die man niet deugde, dat heb ik in alle toonaarden gezongen. Maar ja, hoe harder je je afkeuring laat blijken, hoe meer ze zich aan zo iemand vastklemmen.'

Eva knikte enkel.

'Ik heb het niet kunnen voorkomen. We zouden zaterdagavond naar het theater gaan. Zullen we thuisblijven, vroeg mijn man. Nee, we zouden maar gaan, ze was wel vaker een avondje alleen, dat vond ze helemaal niet erg. Ze wilde nog even naar jou, dat heeft ze dus gedaan. Ineens stond die man voor de deur en ze liet hem binnen. Dat had ze nooit moeten doen.' De vrouw begon te huilen.

'Hij zit toch vast?' vroeg Eva.

De moeder van Inez schudde haar hoofd. 'Welnee, meid, hij is vanmorgen alweer vrijgelaten. Ik wed dat hij er nog geen dag voor hoeft te zitten; hij krijgt een taakstraf, als hij die nog krijgt.'

Eva staarde naar buiten. Ja, veel mensen begrepen het recht niet in Nederland. Het was ook niet gemakkelijk om de gedachtegang van rechters en officieren van justitie te volgen.

'Ze is nu toch wel verstandiger geworden?' vroeg ze. 'Nu gaat ze toch niet meer terug?'

Hettie Zandink haalde haar schouders op. 'Ze is niet bij

bewustzijn, de dokters houden haar in een kunstmatige slaap. Ze zijn zelfs bang voor hersenletsel. Hij heeft gewoon keihard met die soldatenkistjes van hem tegen haar hoofd geschopt...'

Eva zweeg. Mensen op straat hadden het gezien en waren tussenbeide gekomen, had Hettie verteld. Wildvreemde mensen hadden haar dochter gered. Ze hadden de man vastgehouden tot de politie kwam, en dat had nog een hele tijd geduurd.

'Maar als ze nou nog praat over teruggaan naar die vent, dan... dan...' De vrouw balde haar vuisten.

'Ze is nu wel van hem genezen,' dacht Eva hardop.

Moeder Zandink had er een hard hoofd in, zag Eva. Ze stond op. Ze moest weg. 'Ik mag toch wel een paar keer bellen, en als ze opknapt, kan ik dan een keertje mee naar het ziekenhuis?'

'Graag, kind. Ze had al weinig vriendinnen meer, de meesten waren dat gezeur over dat huwelijk meer dan zat. Eerlijk gezegd, ik ook.'

'Het is ook niet gemakkelijk,' zei Eva. 'Je breekt heel wat af bij een scheiding.'

Hettie keek haar venijnig aan. 'Eva, in dit geval wordt er niets afgebroken. Er was vanaf het begin namelijk niets op te bouwen. Dat moet Inez inzien en ik heb er een hard hoofd in dat het, zelfs na dit gebeuren, nog steeds niet is doorgedrongen. Ik heb weleens gezegd: ze is gewoon verslaafd aan die vent.'

'Of doodsbang voor hem.'

Hettie zuchtte nog eens diep. Ze wist het ook niet meer.

Daarmee ging Eva weg, diep in gedachten. Het leven was niet gemakkelijk, dacht ze, niet voor Inez en haar zware mishandeling. Ook niet voor haar met haar probleempjes, al waren ze niet te vergelijken met die van Inez.

Ze ging nog even aan bij haar ouders. Die zouden inmiddels weer thuis zijn. Ze hadden een prachtig weekend gehad, zei Sonja opgetogen toen Eva tegenover haar zat in de huiskamer.

Het weer was goed, het hotel was goed.

Piet keek zijn dochter onderzoekend aan. 'Er is iets,' constateerde hij.

Ze knikte en vertelde wat Inez was overkomen. Sonja schrok

ervan, maar zei tevens dat ze eigenlijk wel zoiets verwacht had. Ja, niet nu, maar ooit. Die man van Inez deugde niet, die had nooit gedeugd.

Eva reageerde er niet op. Haar vader evenmin. Hij bleef zijn dochter aankijken. Ja kind, een goede waarschuwing voor jou, leek hij te zeggen.

Leek hij dat inderdaad te zeggen of verbeeldde ze het zich?

'Heb je nog iets van John vernomen?' vroeg Sonja plotseling.

Het klonk alsof ze verwachtte dat Eva zou meedelen dat er volgende week getrouwd zou worden en dat alles verder in kannen en kruiken was.

Eva overwoog om simpelweg 'nee' te zeggen, maar daar zou vader Piet geen genoegen mee nemen, merkte ze aan zijn manier van doen.

Ze haalde diep adem. 'Ja, ik krijg een week bedenktijd. Doe ik het niet, dan gaat er iemand anders mee naar Amerika.'

Piet schoot in een harde lach. 'Zo zo… Nou, ik zou zeggen: laat hem maar gauw gaan met die ander.'

Sonja reageerde geagiteerd. 'Dat heb je er nou van. Ik zei nog: je speelt met je toekomst. Nou gaat John straks met iemand anders…'

'Sonja, houd op met dat gejammer,' zei Piet nors. 'Eva moet maar één ding doen: hem een levensgrote schop voor zijn achterste geven. Is hij helemaal gek geworden? Voor jou meteen een ander? Wat is dat voor een mentaliteit?'

Sonja zweeg op slag.

Piet merkte rustig op: 'Ik heb vanmiddag een gesprek gehad met Leny, Johns moeder. Ik heb haar opgebeld. Zij heeft me bijna gesmeekt om hem niet te steunen in zijn wensen. Ze was zelfs bang dat wij de portemonnee nog zouden trekken voor hem. Hij schijnt met dat idee te spelen. Nou, dan kent hij me slecht.'

Inderdaad, dacht Eva bijna inwendig lachend. Als er een is die de hand strak op de knip houdt, is het vader Piet.

'Hij zal het nog moeilijk krijgen in Amerika, als hij er tenminste ooit naartoe gaat. Je staat daar zo op straat als je even je rekeningen niet betaalt,' zei Piet korzelig. 'De man verdient een royaal salaris en er blijft geen cent over. Dat heb ik al tijden in de gaten. Altijd de nieuwste dingetjes op zak en niet de goed-koopste.'

Sonja schudde haar hoofd alsof ze dat allemaal niet geloofde.

'Ik kan je verzekeren dat jouw spaarbankboekje er binnen de kortste keren doorheen zal zijn gejaagd als je hem de kans daar-toe geeft,' voorspelde Piet.

Sonja zweeg een beetje kriebelig, merkte Eva. Wat kon ze nog te berde brengen nu zelfs Johns moeder de handen van haar enige zoon had afgetrokken?

'Als hij naar Amerika wil, zal hij geld mee moeten brengen, want meneer heeft nogal wat noten op zijn zang, volgens Leny, en daar betaalt zijn baas niet voor. Hij is maar een werknemer, geen captain of industry,' zei Piet rustig. 'Wees blij dat je het op tijd ontdekt, Eva. Anders verging het jou zoals het Inez is ver-gaan.'

Sonja maakte bezwaar tegen die opmerking. 'Komkom, John is geen crimineel, zoals die man.'

'Wie had nou verwacht van die man van Inez dat hij zich zo te buiten zou gaan? Het is een klaploper, ja, te lui om rechtuit te kijken, ja, maar dat hij zijn vrouw in elkaar zou slaan, dat had geen mens verwacht.'

Eva stond op en trok haar korte manteltje aan. 'Ik moet gaan. Het is morgen weer redelijk vroeg dag.'

Ze vertrok en ze voelde de blikken in haar rug.

Gedachteloos zwaaide ze nog even en fietste toen snel naar huis. Door haar hoofd dwaalden te veel gedachten.

Haar ouders hadden niet gevraagd naar het gesprek met Roelof Grevinga. Hadden ze er niet aan gedacht of omzeilden ze het onderwerp?

Het was het eind van de week geworden. Eva had een drukke week op haar werk achter de rug. Ze was vrijdagavond naar het ziekenhuis getogen om Inez te bezoeken.

Inez was weer bij bewustzijn, had haar moeder gezegd. Maar ze was zwaargewond en lag nog steeds op de intensive care. Ze had een scheurtje in de schedel, een paar ribben waren stevig gekneusd en er waren onderzoeken geweest of ze ook inwendig letsel had opgelopen. Het was nog niet bekend of ze ook hersenletsel had.

Eva schrok toen ze haar vriendin zag. Haar gezicht was toegetakeld, de arm lag nog in een mitella.

Ze hadden haar door de scan gehaald, deelde de verpleegster mee. De dokter kwam een dezer dagen met de uitslag.

Gelukkig dat die mensen op straat tussenbeide kwamen, dacht Eva. Anders was het nog veel erger afgelopen.

Wat bezielde zo'n man? Wat dacht hij daarmee te bereiken? Wat dacht John te bereiken met zijn dreigement dat hij iemand anders mee zou nemen naar Amerika?

Ze had hem niet gebeld. Ergens wilde ze het ook niet. Ze wilde liever de zaak laten doodbloeden. Er zat geen leven meer in, meende ze. Wat had praten nog voor zin? Dat had schoonzus Danny van de week ook nog gezegd. 'Laat het hierbij. Je hebt meer dan eens gezegd dat je niet op zijn voorstellen ingaat. Als je nu weer contact gaat zoeken, krijgt hij het idee dat je gevoelig bent voor dreigementen van zijn kant.'

Het was niet netjes, dacht Eva. Ik zou toch afscheid moeten nemen. Twee jaar is een lange tijd. Hoezo, afscheid nemen? Er was niets om afscheid van te nemen. Het was waarschijnlijk nooit iets geweest. Bij de eerste de beste aanvaring was het voorbij.

'Je bent de dans op een grandioze manier ontsprongen,' had Koos gezegd vanuit Enschede. 'Hij had je compleet uitgekleed.'

Zou dat zo zijn? John was geen parasiet, niet zoals die man van Inez. John werkte hard. Ja, maar hij kon niet met geld omgaan, al verdiende hij nog zo goed. En zijn wereld draaide om geld.

Hoe vaak had Eva niet gezegd: houd toch eens op met dat zieke koopgedrag. Dat is toch nergens voor nodig? Waarom nu weer een nieuwe mobiele telefoon van zeshonderd euro? Die andere is nog geen jaar oud. Die laptop kan nog best een jaartje mee. Om over al die nieuwe gadgets niet eens te praten, natuurlijk moest hij die allemaal hebben.

Ze reed van het ziekenhuis terug naar huis. De tranen gleden over haar wangen, deels om Inez, die zo akelig was toegetakeld. Het was de vraag of ze ooit weer de oude zou worden. Ze had daar zo stilletjes gelegen in dat witte bed. Niet alleen had ze ongelooflijk veel slaag gehad, maar het was alsof ook de levenslust verdwenen was, eruit geslagen, zou je kunnen zeggen.

Toen ze bij haar appartement aankwam, liep ze lusteloos naar binnen. Ze zag niemand en groette niemand.

Ze griste de post mee en sloeg de deur van haar appartement achter zich dicht. Zo, rust, helemaal rust, de wereld buitengesloten.

Ze liet zich zakken op de bank en keek de post na. Niets bijzonders, wat reclame, wat folders. Gelukkig geen rekening.

Ze boog zich voorover en keek op de telefoon. Had er nog iemand gebeld?

Nee, niemand had zich gemeld.

Rust alom, dacht ze en ze leunde achterover. Langzaam zakte ze in slaap op de bank. Morgen was het zaterdag. Niets hoefde, niets was nodig.

Misschien ging ze zondag nog even naar Enschede. Haar ouders wilden vast wel mee. Morgen was het een dag van lekker nietsdoen.

Zaterdagmiddag werd er gebeld. Eva schrok ervan. John, dacht ze. Die moet toch eigenlijk wel een antwoord hebben, ja of nee.

Ze zuchtte en keek op de nummermelder. Nee, het was John niet. Het was een onbekend nummer.

Ze meldde zich met: 'Eva van den Bergh.'

'Hallo, met Schultze,' hoorde ze.

Eva voelde iets van een rilling over haar rug kruipen. Die Duitser. Ze had al een tijdlang niks meer van hem gehoord. Ze had de laatste dagen ook geen enkele gedachte gewijd aan wat ze 'Emsland' was gaan noemen. Ze had haar energie voor andere zaken nodig.

Hij had gevraagd of hij nog eens mocht bellen. Iemand die zo intensief bezig was met een speurtocht naar een verdwenen familielid zou zich zonder meer opnieuw melden, besefte ze.

'Ja?' vroeg ze langzaam.

'Komt het gelegen?'

Wanneer kwam het eigenlijk wel gelegen? Nu niet minder dan andere keren. Misschien gaf het enige afleiding. 'Ja hoor, praat u maar.'

'Ik ben niet ver uit de buurt, ik zit in Zwolle.'

'Bij Grevinga?' vroeg ze verrast.

'Nee,' kwam het meteen, maar hij lachte, hoorde ze. Hij kon met een klein uur bij haar zijn. Hij nodigde haar uit om mee uit eten te gaan. Ondertussen konden ze nog eens praten over een aantal zaken.

Ondanks alles werd ze toch nieuwsgierig. Ze dacht ineens aan dat kleine boekje dat ze in de lade van haar nachtkastje had gelegd. Een jonge Grevinga die zich meldde bij oma Reijnders om inlichtingen.

'Ja, het is goed,' gaf ze toe. Ze legde neer nadat hij beloofde zo snel mogelijk te komen.

Eva ging even zitten. Moeder had het boekje niet gemist. Ze zou ongetwijfeld gebeld hebben als het wel zo was. Ach, moeder had het kistje waarschijnlijk nog niet eens ingekeken. Gewoon op het nachtkastje gezet, daar stond het niet in de weg.

Eva liep naar de slaapkamer om het boekje nog eens in te zien. Ze liet zich zakken op het bed en bladerde in het kleine boekje dat met touwtjes bij elkaar werd gehouden. Het bleef bij die ene mededeling dat die jongeman aan de deur was geweest. Oma kwam er dat hele jaar niet meer op terug.

Ze legde het terug. Langzaam slenterde ze naar de woonkamer. Het zou nog even duren voor Florian Schultze kwam.

Eigenlijk best een aardige vent, dacht ze. Een aantrekkelijke vent ook, die professor. De vrouwelijke studenten zouden om hem heen zwermen. Was hij nou getrouwd of niet? Ze zou het hem straks via een omweg vragen tijdens het eten.

Ineens lachte ze hardop, niet plezierig en niet ontspannen, maar boos en bijna verongelijkt.

Wat zou John zeggen als hij wist dat ze straks met een andere vent uit eten ging? Had hij recht van spreken?

Ach, wat. Hij had vaker zitten oreren over liefde en trouw. Er moest ook ruimte zijn voor anderen, had hij eens gezegd. Wat bedoelde hij daarmee, vroeg ze toen. Gewoon, het bestond niet dat je eeuwig verliefd bleef op dezelfde partner. Die ruimte om iemand anders beter te leren kennen moest er zijn in een relatie, was hij van mening.

Ze was boos geworden. De partner bedriegen?

Als je daar afspraken over maakte, was het geen vreemdgaan, vond hij. Ze had toen meteen geweigerd te praten over samenwonen. Het was mede om deze reden geweest dat ze de boot afhield. Ik aard te veel naar mijn moeder om dit soort open relaties aan te kunnen, daar ben ik te ouderwets voor, had ze toen weleens gedacht.

Het was het hele scala geweest, dacht ze nu, staand bij het aanrecht in haar keukentje. Onbewust had ze geweten dat het niet goed kon gaan tussen hen. Ze verschilden te veel van elkaar, hun denkbeelden lagen te ver uit elkaar.

Nou jongen, je hebt nu ruimte genoeg. Je mag alle kanten op, op alle gebied.

Verdraaid, dacht ze. Waarom moest het nou zo gaan? En waarom liep het mis? Om de centen? Nee, wist ze. Om het klinkklare feit dat John geen enkele rekening hield met haar. Dat bewees hij iedere keer weer. De familie riep niet voor niets dat ze zich te veel liet commanderen door hem.

Hij legde haar eenvoudig de reeds ingevulde papieren voor de neus. Daar en daar moet je tekenen. Dat zij een andere mening kon hebben, kwam niet eens in hem op. Ze sloot haar ogen.

Ze hoorde de buitenbel. Was die Duitser er nou al? Ze keek op de klok. Tjonge, het was al bijna een uur later. De tijd was al piekerend voorbijgevlogen.

Ze keek op de intercom. Ja, de professor uit Oldenburg stond voor de deur. Ze opende de buitendeur met een knopje en zag hem weglopen.

Inderdaad. Een vent met wie je als vrouw best iets meer zou willen. Maar dan moest er geen geschiedenis tussen zitten zoals die van de Emslandkampen en een verdwenen grootvader.

De binnenbel ging, hij stond al voor de deur.

Ze liep naar de deur en opende die. Opnieuw gekleed in een spijkerbroek, dezelfde halflange haren. Opa zou zeggen: hij

118

loopt met het geld van de kapper in de zak. Opa hield niet van die moderne kapsels. Wat liet je veel vragen achter, opa, ondanks je vijfennegentig jaar. Waarom verzweeg je dat deel van je leven? Was het een zwarte bladzij? Of was het een trauma?

'Kom binnen,' noodde ze.

Hij knikte vriendelijk en stapte over de drempel. Hij reikte haar een bos bloemen aan.

'Dat is toch niet nodig,' zei ze aangenaam verrast.

'Jawel, ik kom ook zomaar binnenvallen.'

Ze liep voor hem uit naar de kamer en maakte een beweging van 'ga zitten'. Daarna liep ze door naar de keuken om de bloemen in het water te zetten. Ze zou straks wel een stukje van de stelen afsnijden.

Ze voorzag hem van een bak koffie en ging tegenover hem zitten. 'Ik heb Roelof Grevinga gesproken,' merkte ze op. 'Hij vertelde dat mijn grootvader de uwe naar Groningen heeft gebracht na zijn ontsnapping.'

Hij keek op. 'Ja, dat heeft hij mij ook verteld. Uw grootvader zou hem een tijdje later ook naar een bepaald adres brengen…'

'… en daar zijn ze nooit aangekomen,' vulde ze aan.

'Nee.'

Het bleef stil. Hij keek haar aan en leunde voorover. 'Verder zijn er alleen geruchten en vermoedens, maar niets is zeker.' Hij grabbelde in zijn binnenzak en trok een enveloppe tevoorschijn. 'Ik ben heel blij dat ik onlangs die meneer Grevinga ontmoette. Een beetje bij toeval. Ik was net gearriveerd in Oldenburg voor mijn nieuwe baan. Ik had die leerstoel onder andere geaccepteerd vanwege die Emslandkampen. Vandaar dat ik weldra een keer naar dat archief ben gegaan. Daar was ook een Nederlander die een studie maakte van die Emslandkampen. De archivaris zette hem bij mij aan de tafel onder het motto: jullie kunnen elkaar waarschijnlijk een heel eind verder helpen. Zo kwam ik in contact met Roelof Grevinga. Hij kon mij heel veel vertellen over die ontsnapte gevangenen, die in Groningen verder werden geholpen. Dat gedeelte van de geschiedenis kende ik niet eens. Mijn vader heeft een leven lang gezocht en nooit een spoor ontdekt. Het aanbod van de universiteit was voor mij een lot uit de loterij. Natuurlijk wilde ik graag die leerstoel bekleden, ik ben ambitieus genoeg, maar in deze omgeving kon ik zelf gaan speuren. Ik was voorbereid op een jarenlange speurtocht, en na een maand wist ik al meer dan mijn vader zijn hele leven had ontdekt. Ik moet eerlijkheidshalve daar Roelof ook voor bedanken. Hij heeft me flink op weg geholpen, maar het belangrijkste antwoord heb ik niet.'

Eva luisterde zwijgend. Grootvader, vader, kleinzoon. De oorlog duurde nog steeds voort.

'Grevinga zoekt de verrader van zijn vader,' zei ze zachtjes.

Schultze knikte. '*Ich weiss.* Dat heeft hij verteld; dat is een beetje een obsessie voor hem.'

'O ja?' deed ze bijna argeloos. De prof dacht dus net zo als zij.

De man zweeg ineens. Hij had Roelof Grevinga vandaag nog gesproken. 'Ze weet niets van het verleden van Jacob Reijnders,' had hij gewaarschuwd. 'Die moeder van haar wel, volgens mijn inschatting. Het is een aardig meisje. Volgens mij zit ze diep in de problemen van heel andere aard en heeft ze momenteel meer dan genoeg aan zichzelf. Helaas is zij wel de weg die leidt naar een eventuele oplossing, voor zover we die ooit zullen ontdekken.'

Florian wilde er best rekening mee houden. Het meisje intrigeerde hem. Ze was aardig, zelfstandig en intelligent. Bovendien had ze een prachtige bos blond haar en heldere grijze ogen. Hij zou haar graag nader willen leren kennen, ook al was ze een buitenlandse voor hem en al had ze een niet-onomstreden grootvader. Maar zijn verleden als Duitser was ook niet puur en rein.

'Het zal niet gemakkelijk zijn om na zo'n lange tijd nog te ontdekken wie Roelofs vader destijds heeft verraden.' Hij glimlachte triest. 'Net zomin als het eenvoudig is om nog een spoor van mijn grootvader te vinden.'

Ze keek hem lang aan. 'Er moeten mensen zijn die ervan weten of geweten hebben. Mijn grootvader zal de laatste zijn geweest die hem heeft meegemaakt, maar wie was het die hem zou opvangen in Assen? Die naam ken ik niet.'

Florian schudde zijn hoofd. 'Die man werd opgepakt. Hij was bezig met illegale praktijken, zoals men dat aanduidde. Hij schijnt een fikse boete te hebben gekregen,' zei hij langzaam.

Eva knikte. 'En wat ik evenmin begrijp is waarom Grevinga mij zo graag wil spreken. Zijn vader werd jaren later, in 1944, opgepakt en is naar een concentratiekamp gestuurd. Dat heeft toch niets met mijn grootvader te maken? Die werkte over de grens in Duitsland, ver weg van Groningen.'

Florian Schultze leunde verder voorover. Zijn handen, die bewezen dat hij nooit met zijn handen had gewerkt, omsloten de hare. Hij verwachtte ergens dat ze haar handen zou terugtrekken, ze deed het niet.

'Eva, ik moet iets onaangenaams vertellen. Roelof heeft het verzwegen. Maar ik denk dat u het toch moet weten.'

Ze keek hem geschrokken aan. Ze slikte iets weg. Ergens in haar achterhoofd begon het te stormen.

Hij zag haar verbleken, dacht even: weet ze toch van deze hele geschiedenis, maar schudde tegelijk het hoofd.

'Roelof weet dat zijn vader na zijn arrestatie in 1944 naar het Scholtenshuis in Groningen is overgebracht, een heel berucht adres in de oorlogsjaren. Daar zat de SS en die maakte zich schuldig aan oorlogsmisdaden. Ik neem aan dat u dat bekend is?'

Ze knikte snel. Ja, die naam had ze vaker gehoord. Het Scholtenshuis was heel berucht in de oorlogsjaren. Vele verzetsmensen hadden daar de zwaarste tijd van hun leven doorgebracht met nietsontziende martelingen en executies. Het hoofdkwartier van de SD in het noorden van het land.

'Daar is de vader van Roelof onder handen genomen door een heel foute Nederlander, iemand die voor de oorlog bij de grensbewaking werkte.'

Ze keek hem niet-begrijpend aan. Wat wilde hij daarmee zeggen? Daar had Roelof het ook over gehad. Die vent had zijn vader opgepakt, maar dat was toch niet de verrader? Dat was iemand anders.

'Jacob Reijnders kende die heel foute Nederlander – de man werkte bij de marechaussee – en hij kende hem goed. Roelof is

ervan overtuigd dat uw grootvader en die marechaussee samen-
werkten, al voor de oorlog en ook tijdens de oorlog.'

'Wat zeg je?' vroeg ze.

Florian knikte. 'Het spijt me dat ik het zeggen moet, maar
Roelof beweert dat mijn grootvader werd opgepakt onderweg
naar Assen doordat uw grootvader die marechaussee inlichtte,
en later verried Jacob het onderduikadres van Roelofs vader aan
diezelfde man.'

12

Ze verbleekte nog meer, schudde meteen haar hoofd. 'Nee, dat is niet waar,' zei ze beslist. 'Dat geloof ik niet. Inderdaad, hij schijnt uw grootvader dwars door Drenthe naar Groningen te hebben gebracht, maar dat was nog voor de oorlog. Uw familie heeft later nog een brief gekregen, vertelde u.'

'Geen van beide zijn ooit aangekomen op de plaats van bestemming. Uw grootvader ging gewoon terug naar Duitsland, naar zijn werk, en mijn grootvader verdween in het niets.'

'Er kan toch iets heel anders zijn voorgevallen?'

Hij keek haar strak aan. 'Niemand heeft ooit weer iets vernomen van mijn grootvader, en de jouwe ging aan het werk alsof er niets gebeurd was. Dat is toch vreemd, nietwaar?' Schultze liet haar hand opeens los, alsof hij zelf van dat intieme gebaar geschrokken was, en schoof naar achter in de bank.

Hij tutoyeerde haar ineens, merkte ze op. Ze sloeg er verder weinig acht op, ze was te geschokt. Opa had een ontsnapte gevangene zomaar bij de marechaussee afgeleverd? Daar moest een gegronde reden voor zijn als dat waar was. Hoe kon die aardige Roelof zo slecht denken over haar grootvader? Waarom?

Maar stel dat het waar was. Werd opa daarom met de jaren zo teruggetrokken en wilde hij niet praten over die tijd? Werd hij, toen hij ouder werd, misschien bevangen door een soort van gewetensnood? Had oma hem misschien toch verteld dat ene Grevinga bij haar was geweest om inlichtingen over die gebeurtenis, en ging toen een bepaald luikje, dat jaren stevig was afgesloten, in zijn geest open? Was dit te ver gezocht?

'Je moet wel bedenken dat Jacob Reijnders een jongeman was, van nog geen twintig.' Florian haalde diep adem. 'Hoe dan ook, ze zijn niet aangekomen op het bewuste adres.' Hij leunde weer voorover. 'Er is uitentreuren gevraagd naar wat er gebeurd kon zijn onderweg. De mensen in Groningen die alles voorbereid hadden, hebben nooit een antwoord gekregen. Je grootvader hield vol dat Wilhelm Schultze, de ontsnapte gevangene, hem weggestuurd had en zijn eigen weg wilde vervolgen.'

Ze keek op. 'Misschien heeft hij zijn plannen gewijzigd toen hij op weg was naar Assen. U zegt het zelf al: mijn grootvader was nog erg jong.' Ze vroeg het nogal bruusk.

Schultze zweeg een ogenblik. 'De Rode Hulp in Nederland werd opgeheven in 1938,' zei hij langzaam. 'Ze werd te veel gezien als een communistisch bolwerk. Ze wilde meer zijn dan een rood bastion, ze wilde meer solidariteit in de strijd tegen het fascisme in het algemeen. In Spanje en in Duitsland waren de fascisten heer en meester geworden.'

Ze keek hem strak aan. Je draait eromheen, zeiden haar blikken. Ik vraag niet naar die Rode Hulp. Ik vraag waar je grootvader kan zijn gebleven.

Hij vertelde toch verder. 'De helpers van de Rode Hulp zetten hun werk gewoon voort. Maar het was niet meer zo strak georganiseerd als voor die tijd. Men vertrouwde elkaar misschien te veel en het was een spannende tijd, zo vlak voor mei 1940. Nederland geloofde dat het neutraal zou blijven, terwijl de mensen aan de grens wel beter wisten.'

Hij keek haar vriendelijk aan. Het was een vreemde gewaarwording. Het leek alsof de rollen waren omgekeerd. Niet de Duitser moest zijn besmette verleden uitleggen, nu was het de Nederlander die werd beschuldigd van aanbrenging.

'De meeste ontsnapten zijn in de jaren dertig naar Amerika gegaan, of ze gingen vechten in de burgeroorlog in Spanje met de republikeinen tegen de troepen van Franco. Naar Duitsland terug was geen optie. Je weet hoe dat afgelopen is.'

Eva knikte lukraak. Ja, ze had vaker gehoord over de Spaanse burgeroorlog van de jaren dertig. Franco won die strijd en was jarenlang heerser in Spanje.

Schultze glimlachte. 'Grevinga heeft veel uitgezocht door de jaren heen. Hij heeft ook het spoor van je grootvader gevolgd, vandaar dat hij goed op de hoogte is van zijn reilen en zeilen in die tijd.'

Ze zweeg nog steeds. Een beetje verbluft, uit het veld geslagen misschien wel. Zou opa een vermoeden hebben gehad dat 'men' bezig was zijn leven uit te pluizen? Dat men hem verdacht van 'vals spel'?

'Het is bekend dat hij in de buurt van zo'n kamp heeft gewerkt.

De praktijken in de kampen waren ook bekend bij de bevolking die in de buurt van die kampen woonde, ook al beweerde men na de oorlog dat men van niets wist.'

Ze keek hem ongelovig aan.

Hij knikte enkel. 'Tot 1940 waren het strafkampen, hoofdzakelijk voor Duitse politieke gevangenen, daarna werden het krijgsgevangenkampen. De eerste jaren zaten er veel Fransen en Polen, later werden het Russen. Er heerste een barbaars regime, vooral toen de Russische krijgsgevangenen daar kwamen. Je grootvader heeft ongetwijfeld de vreselijkste dingen gezien, hij is getuige geweest van executies, dat kan niet anders. Iedere boer en iedere knecht uit de omgeving van de kampen werd gedwongen de lijken van de krijgsgevangenen weg te brengen naar massagraven in de omgeving. Zij moesten met paard-en-wagen de transporten uitvoeren. Ieder kamp in het Emsland kende deze procedure.'

Ze slikte iets weg. Dat was afschuwelijk voor een jonge vent die min of meer uit een beschermend milieu afkomstig was. Opa was een jonge vent in de oorlogsjaren. Hij had een trauma, zei de oude buurvrouw uit het verzorgingstehuis. Hij heeft akelige dingen gezien.

Houd op, dacht ze. Houd alsjeblieft op met praten. Ik begrijp volledig waarom opa nooit iets over die oorlog wilde zeggen. Ja, ik weet het: in oorlogstijd gelden andere wetten, maar je hebt je geweten toch niet verloren?

Ze wilde dat hij wegging. Eten met hem, in de verste verte niet, dacht ze. Ze zou geen hap door haar keel kunnen krijgen.

Opa toch, dat je als jonge vent moest rondrijden met een kar vol vermoorde soldaten, die ver van huis in een anoniem massagraf werden gegooid. Dat was een ondraaglijke last voor de rest van je leven.

En hij had waarschijnlijk al behoorlijk last van zijn geweten, vanwege die man die hij op een donkere avond weg zou brengen naar een veilig adres. Wat was er gebeurd onderweg? Had hij de grootvader van die Duitser zo in handen gespeeld van een heel foute marechaussee terwijl hij wist dat de man regelrecht naar Duitsland terug zou worden gebracht? Nee, dat zou haar grootvader nooit hebben gedaan.

125

Ze boog haar hoofd. Ik snap dat hij over die tijd niet wilde praten.

Maar wat wilden Grevinga en Schultze van haar, de kleindochter? Ze kon hen niet helpen. Waarmee moest ze hen eigenlijk helpen?

'Je moet het je niet te veel aantrekken. Jij staat erbuiten, jij hebt geen schuld...'

Ze keek hem wrang en boos aan. 'Dat zegt jullie generatie toch ook altijd over die oorlogsjaren?' vroeg ze bitter. 'Het was mijn grootvader en hij was toen jonger dan ik nu. Hoe ouder hij was, hoe minder toegankelijk hij werd, zeker nadat mijn grootmoeder was overleden. De hele familie heeft dat gemerkt.'

Hij bleef haar aankijken. Hij glimlachte zelfs.

'Toch denk ik dat hij er wel over heeft gepraat, misschien met zijn vrouw, misschien ook met zijn dochter, je moeder.'

Dat zou best kunnen, dacht ze moe. De reactie die moeder al een paar keer had gegeven, kon daarop wijzen, maar Eva geloofde dat niet. Moeder was geen type voor dat soort ontboezemingen, die zou ze afweren.

Ze stond op. 'Het spijt me. Maar ik wil graag mijn rust. Nee, ik ga niet mee eten. Ik heb geen trek.'

Hij stond ook op. Waarschijnlijk had hij haar antwoord wel verwacht, want hij leek niet verbaasd.

Hij vertrok met de woorden: 'Ik hoop dat je het ook een beetje van de andere kant kunt bekijken. Mijn familie leeft al meer dan zeventig jaar in onzekerheid. Misschien zijn er nog antwoorden te vinden. Ik kwam te laat om jouw grootvader nog te spreken, maar wat weet je moeder?'

Pas toen hij al weg was, zag ze het kaartje liggen op de kleine tafel. Het kaartje met zijn naam, zijn adres, zijn telefoonnummer, zelfs zijn mailadres.

Ze bekeek het niet eens, legde het in de boekenkast, niet van plan er iets mee te doen. Nee, meneer Schultze, ik ga er niet verder meer op in. Ik begrijp nu waarom mijn grootvader nooit wilde praten over die heel zware jaren. Ik weet ook dat hij in zijn huwelijk op zijn manier rust had. Daar zorgde zijn vrouw voor.

Ik ga dat verleden niet uitspitten. Ik ga mijn moeder daarmee niet lastigvallen, ook al zou ze de hele geschiedenis van a tot z kennen, maar daar geloof ik niets van.

De onzekerheid voor jou en jouw familie is allang zekerheid geworden: na zoveel jaar komt er geen goed antwoord meer, en dat weet jij ook, professor Schultze.

Ze bleef thuis die avond, boos en verongelijkt, bezeerd ook. De bos bloemen die hij meegebracht had, lag in de vuilnisbak. Ze kon en wilde er niet naar kijken, dus weg ermee. Ze moest haar gedachten een andere kant op draaien. Ze wilde er even helemaal tussenuit. Naar Danny en Koos in Enschede. Misschien wilden haar ouders wel mee…

Ze belde hen op. Morgen naar Enschede? Hadden ze daar zin in?

Ja, leuk, dat wilden ze wel. Eva beloofde om twee uur voor te rijden.

Op zondagmiddag naar Enschede, dat kwam zelden voor. Haar gedachten draaiden naar John, ook al zo'n pijnlijke zaak, zuchtte ze.

Vreemd, dacht ze terwijl ze een mok koffie voor zichzelf maakte, dat het met hem afknapt op de centen. Of is dat alleen maar de oppervlakkige kant? Was er maar één conflictje nodig om de boel op te blazen?

Haar gedachten vlogen terug naar het bezoek van Florian Schultze.

Je grootvader bracht mijn grootvader aan…

Waarom zou opa de hele provincie door fietsen met deze man om hem een tijdje later bij de marechaussee aan te bieden? Dat was toch niet logisch? Dan had hij veel beter meteen zijn handen eraf kunnen trekken.

Die Wilhelm Schultze had een lange weg afgelegd na zijn ontsnapping, niet meteen de grens over, zoals de meeste vluchtelingen probeerden, maar via een kilometerslange weg door Duitsland naar de grens met Nederland. Opgepikt door een jonge jongen, die hem naar Groningen bracht. Hoe wist opa waar hij zijn moest? Wie had hem dat verteld?

Wat een vragen allemaal. Nee meid, dit laat jou niet met rust.

Hier moet je een antwoord op vinden, net als Roelof Grevinga en net als Florian Schultze. Ze hebben jou aangestoken met hun verhalen, het is net een virus. Je komt er niet meer van af, al wil je nog zo graag.

Voor Roelof dringt de tijd, hij is al over de tachtig. Een leven lang zoeken naar iemand die zijn vader aanbracht en niets ontdekken. Die klampt zich vast aan elke strohalm, al lijkt die nog zo onwerkelijk.

Ze liep naar de werkkamer om de computer uit te zetten. Die had de hele middag aangestaan en dat vond ze eigenlijk een beetje jammer van de energie.

Nog even kijken of er nog iets van mail was binnengekomen.

Ze had nog niets vernomen van haar oom uit Australië. Ach, de man keek misschien eens per drie weken of er mail was.

Tot haar verrassing was er nu toch bericht uit Australië. Met de grootste verontschuldigingen meldde oom Henk zich. Hij was een weekje weg geweest naar Nieuw-Zeeland. Ja, in Australië was het voorjaar, hier werd het najaar. Hij vroeg nog hoe het met moeder ging nu opa overleden was.

Om op Eva's vraag terug te komen: tja, dat was niet zo een-twee-drie beantwoord. Hij was er dan ook rustig voor gaan zitten.

Zijn vader was niet mededeelzaam geweest, schreef hij, vroeger ook al niet. Hij had genoeg meegemaakt in en voor de oorlog, zei hij altijd. Maar wat, bleef een beetje vaag.

Oom Henk had weleens gehoord over die kampen vlak over de grens. Hij had ook gehoord dat opa in die buurt werkte bij een Duitse boer. Dat was geen pretje geweest voor hem.

Gespannen las Eva de lange e-mail. Oom Henk was er inderdaad voor gaan zitten, zoals hij schreef. Hij zou nog wel een dagje gewacht hebben voor hij achter de pc had plaatsgenomen. Eerst even de boel op een rij zetten.

Hij was twee jaar ouder dan moeder. De overleden oom Jan was de oudste geweest. Oom Henk zou niets weten van het bezoek van Roelof Grevinga in het jaar dat opa in Zuid-Afrika werkte. Hij was toen een kind van twee jaar oud geweest.

Ze las verder in de lange mail. Vader had een jaar in Zuid-

Afrika gewerkt. Hij had het daar erg naar zijn zin gehad. Hij had er wel willen blijven, dat had ook gekund. Er waren meer collega's van de fabriek geweest die zich definitief hadden gevestigd in dat land. Maar moeder wilde niet, ze had het beslist geweigerd zich bij haar man in Zuid-Afrika te voegen. Er was ook nooit weer over dat land gesproken toen vader eenmaal terug was. Zuid-Afrika was een beetje taboe geworden, leek het.

Oom Henk meldde dat het eigenlijk opvallend was dat opa na dat jaar in Zuid-Afrika langzaam maar zeker veranderde. Hij werd stugger, minder mededeelzaam en leek vaker afwezig te zijn met zijn gedachten. Hij kon zelfs kwaad worden als het woord 'oorlog' viel, dan moest zijn vrouw weleens tussenbeide komen.

Oma had het niet altijd even gemakkelijk gehad met haar man in die jaren. Later ook niet, had Henk wel begrepen uit brieven waarin ze soms haar hart luchtte. Zij had haar man een keer voorgesteld om eens met een deskundige te praten. Dat had opa geweigerd, hij was niet gek, gaf hij als reden.

Eva keek op. Er was het nodige gebeurd, anders had oma dat niet voorgesteld. Oom Henk was ervan overtuigd dat het met de oorlog te maken had, schreef hij. Maar wat het precies was, wist hij niet. Hij had nooit mensen gesproken die hem iets meer konden vertellen. Daar zat hij, eerlijk gezegd, ook niet op te wachten.

Hij woonde al vele jaren aan de andere kant van de aardbol, hij was daar tevreden en had een goed leven opgebouwd na een moeilijke start. Eva zou eens een keertje moeten komen, dat was leuker dan wroeten in een verleden dat voorbij was en waar toch niets meer aan te veranderen was. Ze was van harte welkom.

Eva leunde achterover. Oom Henk, het duurt nog wel even voor ik in het vliegtuig stap. Australië trekt me helemaal niet, net zomin als Amerika.

John, schoot het door haar heen. Niet aan denken...

Oom Henk had geen nieuw licht te brengen in deze zaak, maar toch wel iets als je beter las. Zuid-Afrika. Opa had daar graag willen blijven. Waarom? Opa, opa, het raadsel wordt alleen maar groter, dacht ze terwijl ze opstond en de mail in het vakje 'bewaren' schoof.

Het was donker geworden, zag ze. Ze knipte een paar schemerlampen aan en merkte dat ze honger had.

Ze nam wat muesli en ging zitten voor de televisie. Ze had genoeg om over na te denken.

De volgende middag was ze prompt om twee uur bij haar ouders. Ze had rond de middag nog even gebeld met de moeder van Inez, die haar vertelde dat haar dochter opknapte. De uitslag van de scan zorgde nog voor enige spanning, maar als die goed was, kwam ze dinsdag thuis.

Hettie had aangifte van zware mishandeling gedaan bij de politie, namens Inez, vertelde ze nog. Niet dat ze er enig vertrouwen in had, maar toch…

'En Inez?' vroeg Eva langzaam. 'Is ze nu overtuigd…?'

Het bleef stil. Toen kwam het kort en bondig: 'Als ze dat nu nog niet is, houdt het voor mij op. Dan trek ik mijn handen van haar af.'

Eva legde de telefoon neer. Wat was dat toch met die vrouwen? Met Inez, met haar? Een man zou daar nooit zo mee zitten te tobben. Voor jou tien anderen, meid. Waarom kon een vrouw niet zo denken? Waarom zaten zij tot in de stille uurtjes te piekeren en te peinzen; waarom gaven ze vaak toe terwijl ze dat eigenlijk niet wilden? Waarom hadden ze zoveel verdriet als ze hun poot eens stijf hielden, al hadden ze het grootste gelijk van de wereld?

Niet over piekeren, meid, je gaat nu lekker naar je broer, je schoonzus en de kleine meid.

Sonja stond al in de erker van de woonkamer uit te kijken en riep naar achteren. Piet kwam naar de deur in zijn goede pak, dat hij meestal alleen voor de kerk en een speciale gelegenheid aanhad.

Sonja kwam meteen achter hem aan. Ze stapten opgewekt in, Piet zat op de achterbank. Hij had de neiging mee te rijden en daar had Eva een ongelooflijke hekel aan. Sonja liet zich op de passagiersstoel zakken.

Ze had nog wat in haar tas gestopt aan groente en fruit uit eigen tuin.

'Zo, op naar Enschede,' lachte Piet goedgehumeurd.

Sonja keek opzij. 'Heb jij nog iets gehoord van John?' vroeg ze.

Eva schudde haar hoofd. Nee, dat had ze niet.

'Zelf ook niet gebeld?'

'Nee, waarom zou ze?' vroeg Piet vanaf de achterbank. 'Het is hem toch duidelijk genoeg?'

Sonja zweeg, haar mond vertrokken tot een strakke streep. Ze was het er niet mee eens. John was en bleef haar favoriet.

Ze reden zonder problemen naar Enschede. Koos en Danny stonden al uit te kijken, zag Eva. De kleine lag in bed, die had haar middagslaapje nog hard nodig.

Ze zaten net achter de thee toen Koos naar Eva keek. 'Heb jij contact met oom Henk in Australië?' vroeg hij onverwacht.

Ze schrok op. 'Ja, wat zou dat?'

'Hij stuurde mij een mail, waarschijnlijk dezelfde die hij jou ook gestuurd heeft. Jij had vragen gesteld over opa? Hij schijnt te denken dat wij daar nogal druk mee zijn.'

Sonja trok wit weg. 'Wat betekent dit?' vroeg ze kort. Ze wendde zich tot haar dochter. 'Waar ben jij mee bezig?'

Piet werd opmerkzaam. Hij keek zwijgend naar zijn vrouw en zijn dochter.

'Heb je die Grevinga gesproken?' kwam Sonja agressief.

'Ja, dat wist je toch?' zei Eva rustig.

'Ik heb het je verboden.'

'Moeder, jij hebt mij niets te verbieden. Die man had een heel interessant verhaal…'

'Die man deugt niet.'

'Waarom niet?' vroeg Koos er dwars doorheen. 'Ik heb die mail van oom Henk heel belangstellend gelezen. Ik wist niet eens dat opa in Zuid-Afrika is geweest voor een jaar en daar ook graag had willen blijven. Ik hoor weinig over vroeger, maar dit is echt nieuw voor me.'

Sonja zweeg nukkig. Ze nam het kopje van de tafel en keek stuurs voor zich uit.

'Nou, moeder?' drong Koos aan. 'Vertel eens. Hoe groot was de kans dat ik in Zuid-Afrika zou zijn geboren?' Hij lachte hardop. Het interesseerde hem niet echt.

'Ik wil daar niet over praten.'

'Dan had jij je mond moeten houden, Sonja, dat kon je vader blijkbaar beter dan jij,' kwam Piet rustig.

'Eva heeft haar hele toekomst vergooid, alleen door die geschiedenis. Ze heeft het uitgemaakt met John, want ze wil niet mee naar Amerika. Dat komt alleen maar door die oude geschiedenis waar geen mens iets aan kan veranderen,' barstte Sonja los.

'Je moet geen twee zaken die niets met elkaar te maken hebben, door elkaar halen, Sonja,' zei Piet rustig. 'Jullie hebben altijd geweten dat je vader graag in Zuid-Afrika had willen blijven. Je vader had daar een nieuwe toekomst kunnen opbouwen zonder de spoken uit het verleden, zoals hij het noemde, ook al wist niemand welke spoken dat waren. Je moeder weigerde dat. Ze durfde een emigratie niet aan. Dat heeft ze me zelf verteld. Je vader heeft, na Zuid-Afrika, eigenlijk nooit weer zijn draai kunnen vinden in Nederland. En hoe en waarom niet, is altijd een raadsel gebleven.'

13

De hoofden van Koos en Eva draaiden naar vader Piet, hun gezicht één groot vraagteken.

'Je maakt me nou nieuwsgierig, vader,' begon Koos. Zelfs Danny schoof gespannen naderbij.

'Jongens, het is heel simpel: opa voelde zich in Zuid-Afrika bijzonder op zijn gemak. Het klimaat, de mensen, het werk, hij voelde zich daar vrij, zoals hij enkele keren heeft gezegd. Maar oma was te veel gehecht aan Nederland, ze wilde hier niet weg. Opa heeft zijn eigen wensen ingeruild voor die van zijn vrouw.' Sonja had het heftig gezegd.

'Waarom voelde hij zich daar vrij en hier niet?' kwam de vraag van Eva.

'Opa had wel meer vreemde ideeën. Hij wilde ook niet terug naar Drenthe. Voor zover ik weet, is hij ook nooit weer in zijn geboorteplaats geweest.'

'Maar zijn broers en zusters kwamen wel naar Twente,' merkte Eva op. 'Ik heb hen wel ontmoet toen ze nog leefden.'

'Daaruit kun je concluderen dat het geen familieaangelegenheid was. Het moet iets anders zijn geweest dat hem daar weghield,' knikte Koos.

'Ik denk dat het de herinneringen aan de oorlog zijn,' zei Eva bedachtzaam.

Ze hoorden gehuil van boven en Danny stond op. De kleine meid meldde zich. Sonja kikkerde zichtbaar op. Ze stond meteen op en ging mee naar boven.

Piet keek zijn dochter aan. 'Eva, doe me een plezier en houd ermee op. Laat die Grevinga en die Duitser weten dat je niets weet van die zaken. Dat je de nagedachtenis van je grootvader respecteert en daarom niet gaat wroeten in wat misschien een beerput kan worden. Je zou je moeder, en mij ook, er een groot plezier mee doen.'

'Ga je nou niet een beetje te ver?' vroeg Koos met opgetrokken wenkbrauwen. 'Een beerput, nota bene.'

'Die twee kerels geven beiden toe dat opa heel akelige dingen heeft meegemaakt als jongeman in de oorlog. Zijn oude buurvrouw in het tehuis zei dat ook. Dat heeft zijn leven getekend. Ik heb vaker gehoord dat zulke ellende diep weggestopt wordt, en dat kan jaren goed gaan, maar er komt een moment dat die ellende tevoorschijn komt. Dan is het net een klemmende deur die niet meer dicht kan.'

Ze zag hoe haar vader een gezicht trok, die hield niet van dit soort gepraat.

'Misschien was het Zuid-Afrika dat de oorzaak werd dat de oude wond openbarstte. Een totaal andere wereld, waar de oorlog helemaal niet speelde en waar die last wegviel...' merkte ze op.

'Kom, kom, Eva, hang niet de psychiater uit. Je grootvader was een mens uit een ander tijdperk. Die liepen niet met hun gevoelens te koop, zoals dat vandaag de dag gebeurt,' protesteerde Piet.

Koos schudde zijn hoofd. 'Nee vader, ook psychologie van de koude grond heeft het soms bij het rechte eind. Oma heeft hem ooit voorgesteld hulp te zoeken. Dat schrijft oom Henk. Oma deed dat voorstel tot hulp zoeken niet zonder reden.'

Piet maakte een afwerend gebaar. 'Jongens, ik weet het niet. Ik ben maar aangetrouwd. Je moeder kan misschien meer vertellen, als ze het weet, en daar twijfel ik aan. Ze zal echt niet meer weten dan oom Henk.'

Ze zwegen.

Er klonken voetstappen op de trap. Een kirrend geluid van een kind dat de grootste pret beleefde. De deur ging open en Sonja stapte binnen met haar kleinkind op de arm. Danny dook de keuken in om een tweede kopje thee in te schenken.

Het gesprek was voorbij, besefte Eva. Het zou vanmiddag ook niet weer aangeroerd worden. Daar zou moeder wel voor zorgen.

Eva was stil, merkte haar vader. Wat hield haar bezig? John of die oude geschiedenis? Hij had weinig gemerkt van echt verdriet. Natuurlijk was zijn dochter aangeslagen door de merkwaardige ontwikkeling van de laatste weken en de breuk. Maar als hij eerlijk was, moest hij zichzelf bekennen dat hij minder van de vriend van Eva gecharmeerd was dan zijn vrouw. Ergens was hij blij dat het zo gelopen was.

Die jongen kon niet met geld omgaan, dat had hij al langer

geweten. En nou kon iedereen verkondigen dat geld er niet toe deed, Piet wist wel beter. Relaties gingen op de fles door de financiën. Het was ook vaak de belangrijkste reden tot echtscheiding. Een slippertje kon een crisis nog weleens doorstaan. Grote schulden niet, zeker niet als een van de twee voor die schulden verantwoordelijk was.

Hij had al langere tijd zorgen gehad om die vriendschap van zijn dochter. Die jongen had een uitstekende baan en een goed salaris, en hij had toch geen cent te makken. Hij had een gat in zijn hand zo groot als het gat in de ozonlaag; daarbij was hij nog knap arrogant en eigenwijs ook, zoals veel van die jonge carrièremakers waren. Dat liep vroeg of laat een keer spaak.

Als Eva met hem naar Amerika was gegaan... Piet moest er niet aan denken.

Hij keek naar Sonja, die met het meisje op schoot zat te keuvelen.

Vooruit, Piet, het is gezellig, bederf het nu niet met nare gedachten. Je dochter is de dans ontsprongen, al denkt Sonja daar heel anders over. Die wordt hopelijk nog eens wijzer. En dat verhaal van opa Reijnders, dat gaat wel weer voorbij.

Eva weet hoe Sonja en ik erover denken, en Koos zal het weldra vergeten zijn. Die heeft daar nooit enige interesse voor gehad.

Die Grevinga en die Duitser moeten hun eigen zaken maar in orde zien te krijgen.

Tegen goed zes uur was Eva weer thuis. Ze had haar ouders afgezet en was meteen doorgereden naar huis. Nee, ze bleef niet eten.

Ze sloot de auto af en liep snel via de trap naar de verdieping waar ze woonde. Toen ze de deur opende, overviel haar een ongerust gevoel. Er klopte iets niet, dacht ze.

Langzaam liep ze naar binnen. Haar ogen gleden langs de kapstok, waar haar zomerjasje en haar wintermantel hingen. Zo hadden die niet gehangen toen ze weg was gegaan. Ze had gemerkt dat de hanger op de grond was gevallen toen ze al bij de buitendeur stond en ze had hem laten liggen. Dat kwam vanavond wel. Of had ze hem toch gedachteloos opgeraapt?

Hij hing nu weer aan de kapstok.

Ze liep verder. De deur naar haar werkkamer stond open. Die had ze vanochtend dichtgedaan toen ze het raam had gesloten, want het zag ernaar uit dat het zou gaan regenen. Nu stond de deur open.

Een inbraak? Met drie stappen was ze in de kamer. Alles zag er ogenschijnlijk netjes uit. Hier waren zeker geen boeven aan het zoeken geweest. Haar koffiekom stond nog op de kleine tafel naast de fauteuil.

Was er toch iemand binnen geweest? Wie had een sleutel?

John, schoot het ineens door haar heen. Was John hier vanmiddag geweest?

Waarom kwam hij ineens opdagen? Een laatste poging om haar tot andere gedachten te brengen?

Haar auto was weg geweest vanmiddag, die stond niet op zijn gewone plaats voor het appartement. Dat had hij ongetwijfeld gezien. Waarom ging hij dan toch naar binnen?

Was het niet beter om in dit stadium de sleutel terug te vragen, dacht ze nog. De situatie was flink veranderd. Hij hoorde niet meer onverwacht op de stoep te staan. Hij had beter moeten weten, hij had zijn komst moeten aankondigen.

Wat kon ze doen? Hem bellen en vragen wat hij had gewild?

Stel dat hij hier niet was geweest, dat ze het zich allemaal verbeeldde?

Ze besloot niet te bellen. Ze wilde geen modderfiguur slaan.

Ze had net het eten op toen er gebeld werd. Iemand die ook in het appartement woonde, want het was aan haar eigen voordeur.

Ze liep naar de deur en zag de buurvrouw staan. 'Hallo, kom binnen,' groette ze.

'Eventjes dan,' zei de oudere dame en ze stapte over de drempel. 'Je was vanmiddag niet thuis?' vroeg ze toen ze zich in een stoel liet zakken.

'Ja, ik was weg,' knikte Eva.

'Dacht ik al. Er is wel iemand aan de deur geweest. Volgens mij was het die vriend van je, die met die dure auto.'

Dus toch, dacht Eva. Ik heb het me niet verbeeld. Hij is hier geweest. Automatisch keek ze naar haar tas, die op de keukentafel lag. Wat had hij uitgespookt? Had hij zitten wachten? Waarom lag er dan geen briefje dat hij was geweest en haar niet thuis had getroffen? Waarom had hij haar niet even gebeld op haar mobiel?

Had hij misschien iets gezocht? Ze had geen geld in huis en haar bankpas zat veilig in haar tas. Er was hier niets te halen.

'Hij heeft een sleutel, nietwaar? Ik vond het al raar dat hij kwam terwijl jij er niet was. Ik zei nog tegen mijn man: "Eva zou nooit weggaan als ze wist dat hij kwam." Ik had hem de laatste weken al niet meer gezien. Het is van de baan, hè?'

Ze werd in de gaten gehouden, wist Eva, maar ze vond het niet erg. Die sociale controle had ook zijn voordelen.

'Ik dacht, ik ga het toch even zeggen. Hij is een hele tijd binnen geweest. Het gaat me niets aan, natuurlijk, maar ik vond het een beetje vreemd allemaal.'

Eva knikte kort. Ja, het was beter om die sleutel terug te vragen. Toch maar een dezer dagen een belletje geven.

De buurvrouw bleef niet lang. Ze wilde haar man niet te lang alleen laten, zei ze vriendelijk.

Eva sloot de deur achter haar en zuchtte.

Dinsdagavond werd ze gebeld. Even dacht ze dat Inez of haar moeder zich meldde met de mededeling dat ze thuis was.

Toen ze aannam zag ze dat het een anoniem telefoontje was. Zeker weer zo'n bureau dat haar een verzekering wilde aansmeren, alhoewel die bureaus zich de laatste tijd gelukkig veel minder roerden.

Het was John, die zich via een anoniem nummer meldde. 'Je was zondagmiddag niet thuis,' zei hij nors.

'Ja, dat klopt, en jij bent in mijn huis geweest.'

'Nou, èn? Ik heb immers een sleutel.'

'Die wil ik graag terug,' zei ze kortaf. 'Ik vind het knap brutaal om zo naar binnen te stappen terwijl je wist dat ik er niet was.'

'Dat wist ik niet.'

'Mijn auto stond er niet, John. Kom me niet aan met de mededeling dat je daar niet op gelet hebt. De verstandhouding tussen ons is van dien aard dat je best even van tevoren had mogen bellen. Dan was ik thuis geweest.'

Het bleef stil.

'Wat had je trouwens in mijn huis te zoeken?'

'Nou zeg, wat is dat voor een toon?'

'Waarom kwam je zondag?'

'We moeten nog eens praten.'

'Waarover?'

'Vraag niet naar de bekende weg, Eva. Dat jaar in Amerika gaat waarschijnlijk niet door. Dat is jouw schuld.'

Ze haalde diep adem. 'Mijn schuld? Hoezo? Je kunt ook alleen naar Amerika gaan.'

'Je ligt zo dwars als maar kan. Daar is maar één reden voor. Zeg het maar: heb je een ander?'

Ze hapte naar adem. 'Een ander?' herhaalde ze.

'Ja, dat is de enige reden waarom je je zo gedraagt.'

Ze kuchte even, toen zei ze nadrukkelijk: 'Nee John, er is geen ander. Ik dacht trouwens dat jij vorige week opmerkte dat jij iemand had die wel meewilde naar Amerika.'

Er kwam geen reactie. Ze wachtte even af. 'Is er verder nog iets?' vroeg ze toen zakelijk.

Ze hoorde alleen nog maar het tuuttuut van de opgelegde telefoon. Voor de zoveelste keer breekt hij abrupt af, schoot het door haar heen.

Toen brak ze. Ze kon er niet meer tegen en viel snikkend neer op de bank.

De volgende avond kwam vader Piet met een nieuw slot en zette dat, handig als hij was, in de voordeur van Eva's appartement.

Hij was die avond daarvoor tegen halfnegen nog even gekomen met wat spulletjes uit de tuin, zoals hij wel vaker deed. Een bosje wortelen, een klein kooltje, een tasje aardappelen. Hij had als grote hobby zijn tuin en hun huis had een flinke lap grond eromheen.

Hij trof zijn dochter huilend aan. Hij was geschrokken, hij was niet gewend dat zijn Evaatje huilde. Dat deed ze vroeger al weinig, laat staan nu ze volwassen was.

Hij was woedend geworden toen hij het verhaal hoorde. 'Meteen een ander slot op de deur,' was zijn eerste reactie. 'Hij hoort niet zonder jouw toestemming in jouw huis rond te neuzen.'

Hij liet er geen gras over groeien. Na zijn werk kwam hij woensdag aanfietsen met een degelijk nieuw slot in zijn fietstas.

'Ik ben in staat die knaap eens te vertellen wat ik van hem denk,' gromde hij toen hij nog even een kop koffie meedronk. 'Zelfs je moeder is gepikeerd. Die had dat nooit verwacht van hem,' merkte hij op.

Eva knikte lusteloos. 'Moeder is anders van mening dat het mijn eigen schuld is.'

Piet zette de mok neer. 'Eva, je moet je moeder laten praten. Dat deed je ook toen je je nog presenteerde als een opgewonden tiener. Toen was je zo eigenwijs als je lang was. Toon die houding nou ook.'

Ze keek hem dankbaar aan. 'Jij was nooit echt weg van John...' zei ze zacht.

'Kind, neem één ding van mij aan: je zult lang moeten zoeken naar een vader die een vent goed genoeg vindt voor zijn dochter. Hij zal altijd wat aan te merken hebben.'

'Je omzeilt mijn vraag, pipa,' glimlachte ze.

Hij knikte kort. 'John is een aardige jongen, maar voor jou is het geen vent om mee getrouwd te zijn. Het is een flamboyante figuur, je kunt een hoop plezier met hem hebben, maar het duurt tot de bodem van de knip is te zien.'

'Ja, jij stelt een degelijke boekhouding en een flinke zuinigheid op prijs.'

Hij schudde zijn hoofd. 'Kind, geloof me of niet, het is de bodem onder je bestaan. Geld maakt niet gelukkig, maar het maakt het lijden draaglijk, dat zei mijn moeder vroeger al.'

Hij stond op. Hij moest weer naar huis. Hij nam de fietstas in de hand. 'Ik wil je één ding vragen, Eva: begin niet weer met John. Je hebt nu verdriet, maar het is geen vergelijk met het verdriet dat je zou hebben gekend als je met hem naar Amerika was gegaan. Je hebt ongetwijfeld een beschermengeltje bij je. Ik denk dat het oma is,' grapte hij. Hij knipoogde haar toe en trok haar even tegen zich aan. Vertrouwd, dacht ze, die sterke arm, haar vader.

'Het is goed, pa, bedankt.'

Hij grinnikte en vertrok, de fietstas in zijn hand geklemd.

Ze zwaaide nog toen hij wegfietste.

Florian Schultze was boos, echt boos. Hij had nooit verwacht dat dat meisje uit Holland hem zo'n grove en ongemanierde e-mail zou sturen.

Waarom deed ze dat? Er was geen enkele reden voor. Het leek er sterk op dat die dame bepaalde fantasieën in haar hoofd had gehaald. Wat dacht dat mens eigenlijk wel? Dat ze een of andere relatie met elkaar hadden? Hoe kwam ze daarbij?

Nou, dat was wel het laatste wat hij in zijn hoofd had. Niet helemaal, moest hij zich bekennen, maar kon het mogelijk zijn dat ze het door had gehad? Hij had niets laten merken. Tja, vrouwen hadden een speciale neus voor zoiets, dat was wel bekend.

Hij had haar ontzien en haar niet alles verteld, want hij vond haar aardig, pittig en leuk om te zien. Hij had haar graag beter willen leren kennen. Het had hem echt gespeten dat ze die uitnodiging om samen iets te eten afsloeg, maar hij begreep het wel en hij had het geaccepteerd zonder wrok. Het was niet leuk om in een familiegeschiedenis te duiken die niet bestond uit dappere daden en moedige beslissingen. Hij zou in haar plaats net zo gereageerd hebben.

Wie weet kwam er nog een kans.

Maar dit? Nee, dit was een grote stap te ver en dat zou ze weten ook.

Gebelgd schreef hij haar een e-mail terug. Hij had het begrepen, hij zou haar met rust laten, zoals ze dat blijkbaar wenste. Maar hij had geen bijbedoeling gehad, als ze dat soms mocht denken. Hij was open en eerlijk aan de deur verschenen om inlichtingen, niets meer en niets minder. Hij had echt geen romantische gedachten in een bepaalde richting.

Zonder hoogachtend en zonder vriendelijke groet verstuurde hij de e-mail aan Eva.

Die zat diezelfde week met open mond te kijken naar de binnenkomende e-mails van Roelof Grevinga en Florian Schultze. Hoe konden die haar een e-mail sturen? Ze kende hun e-mailadressen niet en zij kenden haar adres niet. Ze was voorzichtig met het uitwisselen van die adressen. Voor je het wist had je allerlei soorten reclame en ander gedoe op de computer en daar zat ze niet op te wachten.

Roelof had haar e-mail kortaf beantwoord met de mededeling dat hij zich knap vergist had in haar. Hij was een man op leeftijd en hij had een prima huwelijk gehad. Wat moest hij met een jonge meid als Eva? Hij voelde zich zelfs beledigd. Het was misschien verstandig dat ze eens met iemand ging praten, als ze zulke rare gedachten had over hem.

Doordat hij de beantwoordtoets had gebruikt, kon ze de mail lezen die hij blijkbaar van haar had gekregen.

Ze werd er bleek van. Die mail had ze nooit verstuurd, deze toon was haar vreemd, die zou ze nooit bezigen. Bovendien, het was belachelijk. Roelof was een keurige heer die geen onvertogen woord had geuit, en zij had hem niet anders gezien dan een man op leeftijd die een oud raadsel wilde oplossen en hoopte dat zij hem daarbij kon helpen.

Hoe kon dat? Hij was wel door haar ondertekend, voor zover je een e-mail kon ondertekenen. Haar naam, haar mailadres. Wie had dit uitgehaald? Had iemand haar computer gekraakt? Ze had aan alle veiligheidseisen voldaan.

Ze sloot meteen af. Stel je voor dat er een virus in zat. Eerst moest een kennis van haar er even naar kijken. Ze kon goed met de computer werken, maar ze was geen expert op het gebied van kraken en hacken.

Ze belde de expert meteen op. Hij kwam graag, haar buurjongen van nog geen negentien jaar oud, een echte nerd, zoals hij zichzelf grijnzend soms noemde. Het was een heel aardige knaap, die elektronica studeerde aan een hogeschool.

Drie minuten later stond hij al voor de deur. Het was niet de eerste keer dat Eva zijn hulp inriep.

Hij accepteerde een mok koffie met een stuk koek en liep kauwend naar de kamer waar de computer stond. Eva ging naast hem zitten en keek belangstellend toe. Ze kon er misschien nog iets van leren.

De jongen constateerde weldra dat er geen virus in de computer zat. Hij was evenmin gehackt, zei hij vrolijk. 'Iemand heeft achter jouw computer gezeten, als je die mails niet zelf verstuurd hebt. Zo simpel is het.'

'Dat kan niet,' zei ze pertinent. 'Er komt hier niemand binnen.'

Meteen zweeg ze. Ze haalde de beantwoorde e-mail van Roelof tevoorschijn en keek naar het tijdstip dat hij verzonden was. Ja, zondagmiddag vier uur. Maar er was geen mail te zien in de map verzonden e-mails en ook niet in de map verwijderd. Het was allemaal zorgvuldig weggehaald.

'Kun jij een verwijderde e-mail tevoorschijn halen?' vroeg ze ineens.

Hij knikte en was een tijdje bezig met zwarte schermen en veel, heel veel rijtjes getallen en cijfers. Ja, dacht Eva, dat joch is een echte nerd. Die bouwde zijn eigen computer al toen hij nog maar een jaar of tien was.

Ineens stond er een e-mail op het scherm.

De buurjongen knikte tevreden. 'Deze is afgelopen zondagmiddag vanaf deze computer verstuurd. Naar ene Florian Schultze in Duitsland en in het anonieme afschrift naar Grevinga in Nederland…'

Ze keek haar buurjongen aan. 'Ik weet al hoe het zit,' zei ze dof.

'Je moet er een wachtwoord voor zetten. Ja, ik snap het wel. Je woont alleen, niemand anders komt hier binnen, maar je moet het wel doen. Ik zal het wel even in orde maken.' Hij vroeg een wachtwoord en schudde zijn hoofd. 'Niks, Eva. Neem een naam die niet zo voor de hand ligt. De voornaam van je opa of van je tante.'

Ze glimlachte ondanks alles. Ja, de naam van opa en zijn leeftijd.

'Zo, meid, niemand kan er meer in zonder het wachtwoord te weten.'

'Behalve jij natuurlijk,' zei ze vrolijk.

Hij grinnikte. 'Je kunt elk moment dat wachtwoord veranderen. Zou ik doen ook.' Hij liep naar de buitendeur. 'En als er weer wat is, roep je me maar.'

Ze riep hem nog na: 'Bedankt,' maar hij was al weg. Ze wist hoe leuk hij het vond als ze zijn hulp inriep voor de computer.

Langzaam ging ze zitten voor het scherm. John had die e-mails verzonden. Hoe was hij aan de namen van Florian en Roelof gekomen? Ze had nooit met hem over die kampen in Duitsland gepraat. Voor zulke zaken interesseerde hij zich niet.

Waarom had hij dit gedaan? Wraak, treiteren? Wat misselijk.

Zou hij nou werkelijk denken dat ze hier nooit achter zou komen? Hij vond dat zij maar een sufferd was op dit gebied. Dat ze op haar werk ook de computer gebruikte, telde niet mee. Ze downloadde geen films, geen muziek, ze gebruikte hem alleen maar voor e-mails, foto's en internet en om wat teksten op te slaan.

Ineens schoot ze overeind. Het kaartje van Florian Schultze. Ze had het in de boekenkast gelegd, naast de brieven die nog even bewaard moesten worden. Had John in die kast gesnuffeld?

Ze zag het kaartje meteen liggen toen ze de kamer binnenliep, op de bekende plaats in de boekenkast.

Florians telefoonnummer en zijn e-mailadres stonden er beide op.

Op de achterkant nog een met de hand geschreven e-mailadres. Ze had het niet eens gezien, maar herkende de naam Grevinga in het adres.

John had de conclusie getrokken dat die twee namen behoorden aan vriendjes van haar. Nu begreep ze zijn opmerking: heb je een ander? Hij was nog jaloers ook. Hij, die altijd de mond vol had over 'open relaties'.

Er ontsnapte haar een diepe zucht.

Dit was stom, John, dit was oerstom van je. Dit betekent het onherroepelijke einde van onze relatie. Iemand die zulke streken uithaalt, is niet iemand die ik vertrouwen kan, laat staan dat ik met zo iemand getrouwd zou willen zijn.

14

Het gebeuren bleef door haar hoofd malen, ook nadat ze de computer had uitgezet. Dat was het nadeel van alleen zijn, dacht ze. Je draaide in een kringetje rond met steeds diezelfde gedachten in je hoofd. Als er iemand was, kon je de gedachten eenvoudig opzijzetten. Wat ze moest doen? Een e-mail sturen aan Schultze en Grevinga?

Zouden ze haar uitleg geloven? Nee, het was beter om Grevinga persoonlijk op te zoeken. Hij woonde in Zwolle. Het adres was niet eens ver verwijderd van haar kantoor.

Het feit dat ze misschien de contacten met de twee mannen kwijt was, vond ze nog niet eens het ergste, het ging haar vooral om de streek die John haar had geleverd. Waarom deed hij zoiets? Was dit zijn manier om een teloorgaande relatie nog te redden? Dat was wel de verkeerde methode.

Ineens liep ze terug. Ze zette de computer weer aan en tikte een berichtje aan John.

Ze verstuurde het meteen zonder verder na te denken of het wel verstandig was om zo van leer te trekken. Pas daarna dacht ze: dat is wel heel fel. Niets meer aan te doen, het is verstuurd. Hij weet nu hoe de vlag erbij hangt. Het is *over and out*, om het op z'n Amerikaans te zeggen. Het luchtte op, dat wel.

Ze probeerde aan andere zaken te denken. Ineens trok ze haar mantel aan en liep naar buiten. Even naar Hettie, de moeder van Inez. Er was een uitslag over de scan. Misschien was Inez al thuis. Morgen kwam er niets van, dan had ze tot laat in de avond cursus in Zwolle.

Ze groette haar buurvrouw, kletste nog even met een kennis op straat en liep toen naar het adres waar Hettie woonde.

Hoe laat was het? Nog geen halfnegen, zag ze, al was het al aardig donker.

Hettie opende de deur toen Eva had aangebeld.

'Hallo, kom erin. Inez is thuis.'

'O, gelukkig. Ik heb niet eens wat bij me...' zei Eva ineens geschrokken.

'Dat is nergens voor nodig. Ik ben blij dat je er bent. Inez ligt in bed. Ze moet nog behoorlijk aansterken.'

Hettie liep naar de kamer, Eva volgde haar.

'De uitslag van de scan was redelijk gunstig. Maar ze moeten het even afwachten. De bloeddruk is niet goed,' deelde Hettie mee.

Eva knikte enkel en accepteerde een mok koffie, de derde al vanavond, dacht ze. De vader van Inez stak zijn hand op van-achter zijn computer. Hij worstelde nog steeds met het apparaat, verzuchtte hij. 'Ik ben zover dat ik mijn eerste e-mail verstuurd heb.'

'En daar is hij heel trots op,' zei Hettie zonder glimlach.

Je moest eens weten wat dat ding kan aanrichten, dacht Eva en ze ging aan de tafel zitten bij Hettie.

'Wat hoorde ik nou, Eva, is het uit met John?' vroeg Hettie ineens. 'Ik sprak je vader.'

'Ja,' zei Eva kort en overtuigd.

'Dat had ik niet verwacht. Ik had eerder gedacht aan een brui-loft.' Hettie had John een enkele keer ontmoet bij verjaardagen. 'Het lijkt me ook een vent die het ver gaat schoppen,' voegde ze eraan toe.

Eva gaf geen antwoord. Als hij zulke streken uithaalt op zijn werk is het gauw gebeurd met die carrière van hem, dacht ze.

'Hoe komt dat dan?' Hettie liet zich niet met een kluitje in het riet sturen; die wilde het naadje van de kous weten.

Eva glimlachte. 'Tja, als je tot de ontdekking komt dat de ver-schillen een beetje te groot zijn,' zei ze vaag.

'Ja, dan kun je er beter mee stoppen. Je hebt groot gelijk. Ik wou dat Inez ook zo verstandig was.'

Vader Zandink kwam bij de tafel zitten. 'We hebben vanmid-dag de politie over de vloer gehad.'

'Doet die er nog wat aan?'

Ze zag hoe de beide ouders hun schouders ophaalden. 'Hij mag voorlopig niet weer in haar buurt komen, straatverbod.'

'En Inez kan niet terug naar haar eigen huis, daar zit hij nog,' vulde Hettie aan.

'Ze gaan ervan uit dat ze voorlopig hier blijft. Dat die hele inboedel in dat huis van haar is, telt niet mee. Vooruit, het zijn maar dingen,' verzuchtte vader Zandink.

Toen Eva terugliep naar huis bedacht ze dat de wet toch wel raar in elkaar stak. Maar wie had ooit verkondigd dat recht en wet hetzelfde was?

De volgende avond belde ze aan bij Roelof Grevinga. Het was even na werktijd en ze had die avond cursus in de stad. Twee avonden per week was ze daar zoet mee. Ze had een uurtje de tijd voor die begon, en normaal bleef ze op haar werk om wat te eten en daarna ging ze richting het gebouw waar de cursus werd gegeven.

Nu was ze met lood in de schoenen vertrokken om naar Roelof Grevinga te gaan.

Hij opende de deur en zijn gezicht verstrakte toen hij haar zag. 'Wat kom je doen?' vroeg hij kil. 'Ik was toch duidelijk genoeg.'

Ze knikte kort. 'Ik moet het een en ander uitleggen,' zei ze vastberaden.

Hij liet haar binnen, misschien wel door de vastberaden klank in haar stem. Misschien ook omdat hij ergens twijfelde aan dat vreemde bericht van haar. Hij kon zich niet voorstellen dat hij zich zo in haar had vergist, al was dat bericht hard genoeg.

Ze liep door de gang van het oude huis achter hem aan. Hij liep een beetje als een oude man, dacht ze ineens, dat was haar niet opgevallen toen hij bij haar op visite was.

Het was een mooi huis, maar wel minstens honderd jaar oud, meende ze, een kamer met suitedeuren en zonder centrale verwarming. Er werd nog met kachels gestookt, twee stonden er in de grote kamer. In de brede gang had ze ook al een wandkacheltje gezien.

Zo'n oud huis had wel zijn charme, vond ze. Ze hield van oude, hoge plafonds en ruime kamers, die amper warm te stoken waren. De gemakkelijke stoelen stonden bij de kachels. Het zou in de winter bij de serreramen niet aangenaam toeven zijn. Ze zag ook lange gordijnen tot op de vloer voor de serre hangen, waarmee de serre kon worden afgesloten.

'Ga zitten,' kwam het koeltjes. Het klonk niet uitnodigend.

Ze ging zitten en haalde diep adem. 'Ik heb die mails niet verstuurd,' zei ze toen ronduit. 'Ik heb een vriend met wie ik onlangs gebroken heb, en hij heeft nog een sleutel van mijn huis. Kort en bondig, hij is vorige week zondag toen ik niet thuis was, binnengestapt en is gaan snuffelen. Hij heeft het kaartje van Florian Schultze gevonden, en op de achterkant stond uw mailadres. Ik vond uw huisadres in de telefoongids. U had gezegd waar u ongeveer woonde.'

'Je wilt mij vertellen dat hij die mailtjes heeft verstuurd?' vroeg hij licht ongelovig.

Ze knikte kort. 'Ik had het zelf nooit ontdekt, want hij heeft alles zorgvuldig verwijderd van de computer, maar omdat u het mailtje rechtstreeks beantwoordde, zag ik wat hij had gedaan. Ik heb gelukkig een heel handige buurjongen die zijn hand er niet voor omdraait om dat soort dingen weer tevoorschijn te halen. Ik zou het niet kunnen, maar hij wel.'

Ze keek hem recht aan. Ik zit hier geen smoesjes op te hangen, zeiden die blikken.

Hij knikte wat onwillig.

'Hij weet van die hele geschiedenis met die Emslandkampen niets af. Ik heb er nooit met hem over gesproken. Hij heeft blijkbaar de conclusie getrokken dat ik met jullie allebei een soort van driehoeksverhouding had opgebouwd of iets van dien aard.'

Roelof keek haar scheef aan. 'Er werd inderdaad met geen woord gerept over die oude geschiedenis die ons zo bezighoudt.'

Ons, wie waren dat, hij en Florian Schultze?

'Je moet zien dat je die sleutel terugkrijgt, dame,' zei hij toen.

'Er zit inmiddels een ander slot in de deur,' zei ze enkel.

Hij knikte alleen maar en bekeek de jonge vrouw die tegenover hem zat. Vertelde ze de waarheid?

Hij kon zich ergens niet voorstellen dat ze zulke insinuerende briefjes zou schrijven. Daar was ze het type niet voor, meende hij.

Hij had het al gezegd tegen de Duitse professor: volgens mij heeft ze grote problemen. Dat bleek nu ook wel.

Ze zou hem toch niet voor de gek houden? Ach welnee, dan had ze niet de moeite genomen om hier persoonlijk naartoe te komen. Die minkukel van een vriend van haar had haar waarschijnlijk een streek willen leveren nu hij gedumpt was. Dat was ook aardig gelukt.

Nee, ze meende het echt en die mail had zij niet verstuurd, daar was hij nu redelijk van overtuigd.

Hij stond op. 'Ik ben blij dat je gekomen bent, Eva. Ik ben nog blijer dat die kwestie is opgelost. Zand erover?'

'Graag,' zei ze.

'Ik stuur een briefje naar Florian,' bood hij aan. 'Die is echt woest op je.' Die jonge Duitser heeft het niet ronduit gezegd, maar ik snap best dat hij je graag mag. Daarom zal hij ook zo woedend zijn.

Hij keek haar na vanuit de serre toen ze de straat overstak en wegliep. Ze moest naar school, zei ze. Die jongelui moesten wat doen voor een goede baan. Het was niet meer zoals in zijn jonge jaren toen hij bij de spoorwegen binnenstapte. Toen had je een baan voor het leven.

Hij liep zuchtend terug naar zijn bureau tegen de muur en zette de computer aan voor een e-mail naar Duitsland, en daar nam hij uitgebreid de tijd voor. Gelukkig, het contact was niet weg. Dat was het voornaamste…

De volgende middag kwam Eva vroeg in de middag naar huis. Ze had een middag vrij genomen en had wat vage plannen om enkele kennissen te bezoeken. Die waren de laatste tijd een beetje op de achtergrond geraakt, vond ze.

Ze ging eerst een halfuurtje ontspannen languit liggen op de bank, daarna belde ze een goede kennis. Die nam niet op. Zeker de hort op, dacht ze, normaal was ze op vrijdag thuis. Niet iedereen had een fulltimebaan.

Ze zou het ook niet erg vinden als ze vanmiddag niemand zou zien, dacht ze opgewekt. Een vrije middag was heerlijk om eens wat klusjes uit te voeren waar ze anders niet aan toekwam, of om gewoon wat rond te klungelen.

Ze dommelde net even weg toen de telefoon haar weer klaarwakker maakte. Ze griste het apparaat naar zich toe. 'Met Eva,' zei ze vrolijk.

Pas toen dacht ze: wie belt er eigenlijk? Ze denken allemaal dat ik werk.

Het bleef stil. Eva keek op de nummermelder. Anoniem. Daar was ze gauw klaar mee, ze verbrak de verbinding.

Wie was dat geweest? John? Je moest het lef maar hebben, dacht ze boos.

Ze stond op en liep naar de kapstok om haar jas aan te trekken. Ze wilde even het dorp in. Ze wilde net de deur achter zich dichttrekken toen de telefoon weer overging.

Weer die anonieme beller? Een beetje geërgerd en tevens wat nieuwsgierig liep ze weer naar binnen en keek op de nummermelder. Weer anoniem. Laat maar bellen, dacht ze. Maar toen drukte ze de spreektoets in en zweeg. Ze luisterde alleen maar, hoorde iemand ademhalen en wilde zeggen: nou, wat is er? Maar ze bleef zwijgen.

Even later werd de verbinding verbroken.

Peinzend legde ze de telefoon neer. Wat was dat? Wie was dat? Het was in ieder geval niet een of andere verkoper die haar iets wilde aansmeren.

Ze liep weg en klapte de buitendeur achter zich dicht.

Tegen halfvijf was ze terug met wat boodschappen. Ze was nog even bij haar ouders geweest, en tot haar opluchting had haar moeder de naam van John niet genoemd. Daar was Eva blij om. Het was voor Sonja erg genoeg te moeten bekennen dat ze zich vergist had in haar favoriete schoonzoon, zoals Piet John weleens aanduidde. Ze babbelde over koetjes en kalfjes en hield zich verre van onderwerpen die tot onenigheid konden leiden.

Na een kopje thee stapte Eva weer op. Ze beloofde zondag nog even langs te komen.

Thuisgekomen liep ze een beetje nieuwsgierig meteen naar de telefoon. Had die anonieme beller zich nog weer gemeld?

Nee, zag ze tot haar opluchting. Het was gebleven bij dat laatste telefoontje. Hopelijk liet hij zich niet weer horen.

Het was weekend, dacht ze. Een paar vrije dagen voor de boeg. Morgen nog even naar Inez, zondag naar haar ouders, voor de rest was het lekker rustig. Vanavond maar eens op tijd naar bed, ouderwets met een boek.

Even de computer aan om te kijken of er nog post was, dacht ze. Misschien had Florian Schultze gereageerd. Zou hij ook zo gemakkelijk over die kwestie heen stappen als Roelof Grevinga gedaan had? Hij had zich niet gemeld, dat kon ook bijna niet. Ze had pas woensdag de e-mails gezien, twee dagen geleden. Gisteren was ze bij Roelof geweest.

De gewone nieuwsbrieven waarop ze geabonneerd was, rolden binnen. Niets van Florian Schultze. Het speet haar een beetje, maar ze moest niet zo ongeduldig zijn. Hij had amper tijd gehad. Stel dat Roelof pas vandaag een mailtje aan hem verstuurde, of misschien pas volgende week?

Er waren een paar berichten van kennissen die wat aardigs op internet hadden ontdekt en haar daarvan in kennis wilden stellen. Ze zat niet op dat soort berichten te wachten. De meeste werden meteen verwijderd.

Een beetje teleurgesteld schakelde ze de computer uit en ze liep naar de kamer terug. Waarom ben ik nou zo teleurgesteld? Wat kan mij die Duitser schelen, zei ze tegen zichzelf.

En toch, het viel haar tegen dat hij niet reageerde.

Ze rolde zich op voor de televisie en keek op de klok. Halfacht. Ze keek even naar buiten. Het was wel erg donker buiten. Slecht weer op komst, een fikse regenbui waarschijnlijk. Het was de hele dag al een beetje somber geweest. De zon, die soms zo lekker kon schijnen in het vroege najaar, had zich vandaag niet laten zien. Het was wel droog gebleven.

Ze grinnikte in zichzelf. Haar ouders hadden het niet op plensbuien. Die zaten nogal eens met een overstroming in de straat. De gemeente beloofde al tijdenlang om de afwatering te verbeteren, maar het stond niet boven aan de prioriteitenlijst.

De lucht werd daar echt zwart! Ze was voorzichtig met dit weer. Niet dat ze last kreeg van overstromingen, ze woonde driehoog, maar ze trok toch de stekker uit de computer. De televisie ging ook uit als het echt begon te onweren.

Ineens ging weer de telefoon. Dat was vast moeder om te waarschuwen tegen onweer. Moeder was er bang voor.

Nee, het was weer anoniem. Opnieuw drukte ze de spreektoets

in en zweeg. Het bleef even stil, maar toen kwam het onverwacht: 'Hallo?'

Een vrouwenstem.

'Ja, met wie spreek ik?' vroeg Eva kort.

'Eh... ja, u moet het mij niet kwalijk nemen, maar dit telefoontje is niet gemakkelijk voor me. Ik ben Riek Grevinga, een zuster van Roelof.'

Eva slikte iets weg. Het was dus helemaal geen geklier van John of van een onbekende treiteraar.

'Ik heb een paar keer opgehangen,' hakkelde de stem aan de telefoon. 'Ik durfde eigenlijk niet goed, misschien is het ook niet goed wat ik doe...' Er viel een stilte.

'Ja?' vroeg Eva langzaam.

'Ik wil graag met u praten over uw grootvader, Jacob Reijnders.' Het kwam eruit alsof het ontelbare keren van tevoren was gerepeteerd.

'Waarom?' vroeg Eva verrast. 'Ik kan u weinig vertellen.'

'Dat weet ik. Ik kan u waarschijnlijk meer vertellen dan u mij. Ik denk dat het goed is dat wij elkaar eens spreken. Ziet u, Roelof is zo fanatiek bezig met bepaalde zaken, al jarenlang. Ik heb hem al meer dan eens gevraagd daarmee te stoppen, maar hij wil dat niet. Hij valt mensen soms lastig met zijn gevraag.' Het kwam er bijna bedeesd uit.

'Ik vind hem helemaal niet lastig,' haastte Eva zich te zeggen. De vrouw aan de telefoon had moeite met praten, merkte ze. De vrouw had misschien al haar moed bij elkaar geraapt om die telefoon ter hand te nemen.

'Ik wil best met u praten,' zei ze vriendelijk toen het weer even stil bleef. 'Waar woont u ergens? Dan kom ik naar u toe.'

'Ik woon in Hardenberg,' kwam het wat onduidelijk. 'In het bejaardencentrum daar.'

O, dacht Eva, vandaar dat anonieme bellen.

'Dat is geen probleem, ik heb een auto. Wanneer schikt het?'

'Het mag morgen wel,' zei de vrouw bijna aarzelend.

Eva stemde toe. 'Dat is goed, dan kom ik morgen naar u toe. Om drie uur morgenmiddag?'

'Ja, graag.'

151

Ze legde de telefoon neer na het adres genoteerd te hebben en ging zitten. Ze begreep er weinig van. Wat zou die oude vrouw haar willen vertellen? Want het was geen jonge vrouw, als het een zuster van Roelof Grevinga was.

Ze schrok op toen een felle flits de kamer verlichtte en er meteen een harde knal achteraan volgde. Automatisch trok ze de stekker uit de televisie, ze moest er bijna om lachen. Op het dak stond een bliksemafleider. Het moest nogal tekeergaan wilde het inslaan.

Ze had meer van haar moeder dan ze dacht. Die liet ook geen stekker in een stopcontact zitten bij dit weer. Vader Piet had het allang opgegeven om zijn vrouw te overtuigen van de overbodigheid van die handeling. Hij liet haar begaan en zat dan rustig een uurtje voor zich uit te staren zonder televisie, radio of computer.

Het begon te regenen, het plensde weldra tegen de ramen. Ze kon amper nog naar buiten kijken. Het leek wel nacht, zo donker was het.

Ze ging zitten. Riek Grevinga. Was het een ongetrouwde dame, die zuster van Roelof?

Waarom belde ze eigenlijk? Toch niet om zich te verontschuldigen voor het gedrag van haar broer? Daar was geen enkele verontschuldiging voor nodig. Roelof Grevinga had zich uitermate correct gedragen. Hij had meer klachten over haar dan zij over hem.

Morgenmiddag zou ze hopelijk meer horen.

Ze rolde zich op in de bank en keek naar buiten, naar de lantaarnpaal voor het gebouw, die amper te zien was in de stromende regen.

Waarom was de vrouw zo bang om haar te bellen? Ze was toch niet bang voor haar broer? En wat kon zij over opa vertellen? Had zij hem dan ooit gekend, waarvan dan? Roelof had nooit gezegd dat hij opa persoonlijk kende. Hij kende hem door zijn omgekomen vader...

De raadsels rond opa werden alleen maar groter.

15

Het bleef buiten nog lang rommelen en lichten, al bleef het bij
een fikse bui en werd het daarna windstil.

Moeder belde na een uur in paniek op. Ze had het water weer
in de gang staan. Nu ging ze toch echt klagen bij de gemeente,
kondigde ze aan.

Doe maar, moeder, het helpt weinig. Maar je hebt gelijk. We
leven niet meer honderd jaar terug toen het vrij normaal was dat
het water de huizen binnendrong na een regenbui.

Eva ging vroeg naar bed en lag wakker voor zich uit te kijken
in het donker. Ze liep de hele geschiedenis met opa nog eens na
en kwam tot de conclusie dat opa wel veel voor zich had gehouden gedurende zijn leven. Maar dat was geen opzienbarend feit.
Opa was niet mededeelzaam. Dat deelde hij met een hele generatie leeftijdgenoten.

Eva sliep die nacht niet al te best. Ze hoorde de klok in de gang
twee uur slaan, halfdrie...

Toen viel ze in een onrustige slaap en werd tegen zes uur wakker. Zaterdagmorgen, een vrije dag. Ze hoefde niets. Nee, ze ging
vanmiddag naar Hardenberg, naar mevrouw Riek Grevinga. Ze
kende de weg ernaartoe amper, maar ze had haar mond bij zich
en het bejaardencentrum was zeker bekend in die plaats. Ze had
het adres.

Ze stond tegen zeven uur op en liep nog een tijdlang rond in
haar duster voor ze zich douchte en aankleedde.

Ze voelde zich moe en lusteloos. Het was een rare week
geweest, piekerde ze. Maar vooral het gedrag van John zat haar
dwars. Hij had niets meer laten horen sinds het telefoontje dat hij
zo bruusk had afgebroken. Wat zou hij gezegd hebben toen hij
het mailtje kreeg waarin ze hem de mantel had uitgeveegd op een
niet mis te verstane wijze? Had hij begrepen dat hij een stap te
ver was gegaan? Excuses aanbieden was niet Johns sterkste kant,
dat wist Eva wel.

Hij zou toch wel begrijpen dat het nu voorbij was tussen hen na
dat felle mailtje van haar? Of interesseerde hem dat weinig of
helemaal niets? Wat was dan de reden dat hij die vreemde streek

uithaalde? Was het treiterij van een man die wist dat hij verloren had, of was het gewone jaloersheid? Dat laatste paste niet bij hem. Ze wist niet hoe ze het plaatsen moest.

Ze zette een mok koffie en keek naar buiten. Het was nog steeds somber, kil ook voor de tijd van het jaar. Ze had al een pullover aangetrokken met lange mouwen. Het ging weer op het slechte seizoen aan, de herfst naderde met rasse schreden.

Ze keek om zich heen. Had ze nog iets nodig voor de zondag? Nee, ze ging even naar haar ouders. Zou ze vertellen wat John uitgehaald had? Vader Piet was al zo kwaad omdat John de woning was binnengedrongen.

Nee, laat maar. Met Roelof was het weer in orde. Florian dan? Zou hij nog boos zijn? Ze zou het ergens jammer vinden als ze niets meer van hem zou horen. Hij had een intrigerende geschiedenis: een grootvader die spoorloos verdwenen was. Dat moest zijn impact hebben gehad op die hele familie. De onzekerheid, de hoop, die nooit helemaal wilde sterven.

Ze liep naar de computer en zette hem aan. Ze keek in de mailbox. Geen bericht van Florian.

Zou ze hem een bericht sturen? Ben je gek, je loopt niet achter die Duitser aan, die zou er werkelijk iets van gaan denken. Roelof had beloofd hem te informeren, dan moest zij daar niet tussen gaan zitten.

Als Florian vond dat het voor hem afgelopen en uit was, dan moest dat maar zo zijn, met dank aan John Vosmeer.

Even na twee uur reed ze weg, richting Hardenberg.

Het was druk op de weg, merkte ze. Zaterdagmiddag was het altijd druk. Mensen gingen uit winkelen, wandelen of op familiebezoek.

Ze reed zonder problemen tot aan de kleine stad in het noordoosten van Overijssel.

Moeiteloos vond ze het opgegeven adres. Ze parkeerde de auto op de parkeerplaats en liep de hoofdingang in.

Het was iets voor drie uur, afgesproken tijd. Eva hield niet van te laat komen. Ze was nu ook mooi op tijd, vond ze van zichzelf.

Ze vroeg bij de receptie naar mevrouw Grevinga. De wenkbrauwen gingen iets omhoog, zag ze.

'U komt op bezoek?'

'Ja,' zei Eva half vragend. Was het vreemd dat mevrouw Grevinga bezoek kreeg?

Er kwam geen antwoord, maar wel een nieuwe vraag. 'Weet ze dat u komt?'

'Ja, dat weet ze. Ze heeft me gebeld.'

De wenkbrauwen gingen nog meer omhoog. 'Gebeld?'

Eva werd ongeduldig. 'Is het vreemd dat er iemand voor haar komt?' vroeg ze kil.

'Ze heeft geen familie meer. Alleen een broer, en die ziet ze eigenlijk nooit. Die woont in…'

'Zwolle,' zei Eva kort. 'Ik ken de heer Grevinga goed. Wat is het kamernummer?' Het klonk bepaald niet vriendelijk, maar dat interesseerde haar minder. De receptioniste was ongehoord nieuwsgierig, of er was inderdaad iets vreemds aan de hand als mevrouw Grevinga bezoek kreeg.

Ze kreeg een onbestemd gevoel. Was ze ergens in getuind? Had iemand haar met een smoesje naar een oude vrouw gelokt, terwijl de vrouw misschien niet eens aanspreekbaar was?

De receptioniste knikte kort en gaf het kamernummer op. Het was op de begane grond, achter in de gang.

Eva knikte en liep in de aangewezen richting.

Bij de deur met het kamernummer bleef ze staan. Ze keek om zich heen. Was iemand haar gevolgd om te zien wat de bezoekster uitspookte? Ze zag niemand. Her en der stonden rollators, een enkele scootmobiel was tegen de muur geschoven. De namen van de bewoners stonden naast de deur vermeld. Een tehuis zoals er velen waren in Nederland.

Ze klopte op de deur.

'Hij is open,' kwam het wat beverig.

Ze opende de deur en stapte naar binnen. Een kleine hal met inzicht in de kamer.

Bij het raam zat een oude vrouw in een keurig pakje in een ouderwetse, maar gemakkelijke stoel. Eva had in die korte tijd dat ze hiernaartoe liep het beeld gehad van een zieke vrouw in bed die helemaal verzorgd werd, een vrouw die amper aanspreekbaar was.

Maar deze vrouw stond rustig op en kwam naar haar toe lopen, leunend op een wandelstok. Het ging wat traag, ze had ook de leeftijd om het wat rustiger aan te doen. Ze was waarschijnlijk zelfs ouder dan Roelof.

'Eva?' vroeg ze.

'Ja, Eva van den Bergh.' Eva stak haar hand uit en de oude dame omvatte de hare.

'Fijn dat je er bent. Ga zitten, trek je jas uit.'

Eva hing haar jas aan de kleine kapstok in de hal en ging zitten op de stoel tegenover Riek Grevinga.

'Je zult denken, wat krijgen we nou?' begon de vrouw. 'Met al die telefoontjes. Ik zat zo met mezelf in de knoop of ik dit wel doen kon, dat ik nog een paar keer heb opgehangen.'

'Ik wist niet dat Roelof nog een zuster had.' Eva keek de vrouw bijna ondeugend aan. 'Bovendien keek men bij de receptie nogal vreemd op toen ik naar uw kamernummer vroeg.'

De oudere vrouw glimlachte. 'Ik krijg weinig bezoek, dat is waar. Ik ben nogal op mezelf, altijd geweest. Behalve de dominee of een vrijwilligster komt er zelden iemand. Ook Roelof komt zelden...' Ze liet in het midden waarom hij niet kwam. 'Vorige week kwam hij mij ineens volslagen onverwacht opzoeken. Toen begreep ik dat ik iets moest doen.'

Iets moest doen? Het raadsel werd alleen maar groter. Wat zou die oude dame moeten doen? Nieuwsgierig keek Eva haar aan. Vertel, dacht ze, vertel.

Maar Riek vroeg alleen of Eva de moeite wilde nemen om wat thee te zetten. Eva stond op en liep naar het piepkleine aanrechtje dat tegen de achtermuur van de kamer was neergezet, met een paar kastjes erboven. Ze maakte snel twee kopjes thee en liep terug naar de kleine tafel bij het raam.

Een dankbare glimlach volgde. 'Ik wilde je graag zien. De kleindochter van Jacob,' kwam het onverwacht.

Eva schokte overeind. 'Hoezo, hebt u mijn grootvader gekend?'

Riek knikte langzaam. 'Ja kind, ik heb hem heel goed gekend.

Heeft Roelof dat niet gezegd? Nee, dat dacht ik wel. Dat is een van de redenen dat ik je belde.' Ze zweeg een tijdje.

'Waar kende u mijn grootvader dan van?' Eva werd nieuwsgierig, maar tevens kwam er iets van onbehagen in haar op. Kwamen er weer onthullingen die een ander licht op diverse zaken wierpen?

Riek keek vriendelijk op. 'Heel gewoon, ik ben met hem verloofd geweest toen we nog jong waren, in de oorlogsjaren. Na de oorlog werd er niet getrouwd, de verloving raakte uit. Tja, dat gebeurt soms.'

Eva slikte iets weg. Opa was, voordat hij met oma trouwde, verloofd geweest? Met een zuster van Roelof? Dat wist deze ongetwijfeld. Waarom had hij dat niet gezegd? Inderdaad, dat wierp een heel ander licht op een heleboel zaken. Het leek erop dat die hele geschiedenis niet van toevalligheden aan elkaar hing, maar het leek meer op een stap voor stap voortgaande weg, uitgekiend en uitgerekend...

En waarom had opa nooit verteld dat hij een verloofde had gehad in Drenthe? Zou oma dit geweten hebben? Vast niet, want dan had ze anders gereageerd toen Roelof als jonge vent aan de deur stond, zoals ze schreef in dat boekje dat in Eva's nachtkastje lag.

Het gevoel van onbehagen werd heviger. Ze dacht: waar ben ik in terechtgekomen? Zou moeder Sonja dit weten, en had ze daarom Roelof consequent teruggewezen? Dan had ze nog gelijk ook. Nee, dacht Eva toen. Moeder weet het niet. Als zij wist dat opa ooit een andere vrouw had gekend voordat hij oma kende, had ze dat nooit voor zich kunnen houden. En toch overviel die mededeling haar.

Eva kreeg het gevoel dat ze ergens in getrapt was, al kon ze nog niet precies zeggen hoe.

'Weet Roelof dat?' vroeg ze schor. 'Ik bedoel, dat u verloofd was met...'

Riek knikte. 'Ja, dat weet hij heel goed.' Ze zag de verwarring van de jonge vrouw. 'Het is lang geleden. Het komt voor: verkeringen breken af, verlovingen ook, zelfs huwelijken geven tegenwoordig geen zekerheid meer voor de toekomst.'

'Dat bedoel ik niet. Roelof heeft hier met geen woord over gerept.'

De vrouw zuchtte diep. 'Dat begreep ik van zijn verhaal toen hij hier vorige week kwam binnenvallen. Daarom heb ik al mijn moed bij elkaar geraapt en jou gebeld. Ik vind dat je dit moet weten.'

'Heel mijn familie weet niet dat opa ooit verloofd was. Hij is tamelijk laat getrouwd met een vrouw uit Almelo,' hakkelde Eva.

Opnieuw die bijna berustende glimlach. 'Ach ja, een oude vlam van vroeger wordt ook graag vergeten.' Ze keek de jonge vrouw aan. 'Er was te veel gebeurd door de oorlog en ook al daarvoor. Te veel ruzie, te veel argwaan, te veel verdachtmakingen. We vertrouwden elkaar niet meer. Dan is er geen basis voor een leven samen, en dan moet je ermee stoppen.'

Eva keek voor zich. Het klonk zo eenvoudig. Dan moet je ermee stoppen. Had ze John ook niet echt vertrouwd toen ze weigerde met hem samen te gaan wonen? Ze vertrouwde hem in ieder geval niet met de centen, al een hele tijd niet meer. Het was te vaak gebeurd dat John na een etentje had gevraagd: 'Toe, betaal jij even.'

Dat zoiets een enkele keer voorkwam, was niet erg. De tijden waren voorbij dat jonge vrouwen zelf geen geld hadden en dat de man altijd moest betalen.

Maar het gebeurde bij John te vaak, ook met andere zaken die hij graag wilde hebben. 'Ik heb even geen geld bij me, jij wel?'

Niet aan denken, John speelde geen enkele rol in deze schimmige geschiedenis.

'Ik ben nooit getrouwd,' vertelde Riek.

'Kon u Jacob niet vergeten?' vroeg Eva.

Een glimlach. 'Nee, dat soort romantiek hoort in boekjes thuis. Als je elkaar uit het oog verliest, gaat de liefde gewoon voorbij. Gevoelens sterven als ze niet worden gevoed. We zeggen niet voor niks: uit het oog, uit het hart.' Riek zette het kopje neer. 'Nee, naderhand kwam het er gewoon niet van. Te druk met allerlei soorten werk. Ik had een eigen zaak, een winkel...'

Eva knikte. Een zelfstandige dame, maar waarom was ze zo

bang dat ze zweeg aan de telefoon? Iemand met een eigen winkel moest wel vaker de puntjes strak op de i zetten en doorpakken.

Nog voor ze die vraag kon stellen, zei Riek langzaam: 'Ik wilde je spreken, ook al kende ik je niet. Ik wil niet dat dingen scheef gaan lopen. Dat is niet goed, en Roelof is zo bezeten van die zoektocht...' Ze zweeg een tijdje en zuchtte diep. Toen keek ze op. 'Mijn vader, ons pa, is omgekomen in de kampen in Duitsland, dat zal Roelof ongetwijfeld hebben verteld.' Ze wachtte niet tot Eva instemde met die opmerking. 'Roelof was nog een jongen toen de oorlog eindigde, ik was een jonge meid van net twintig. We begrepen na de bevrijding weldra dat ons pa niet weer thuis zou komen...'

'Iemand had hem verraden, nietwaar?' zei Eva.

'Hij werd opgepakt door een marechaussee die niet deugde. Die deugde al niet vóór de oorlog; hij stond toen al bekend als een bloedhond.'

Marechaussee. Was dat die man van wie werd beweerd dat opa hem persoonlijk kende? Schultze had dat gezegd. Een heel foute man, die ook de vader van Roelof in Groningen onder handen had genomen. Waar kende opa die man dan van?

Ze staarde naar de oude vrouw, die verder vertelde. 'Gedurende de oorlogsjaren heeft het verzet meer dan eens een aanslag op hem gepleegd, maar de man werd door de duivel beschermd, werd er weleens gezegd. Het mislukte iedere keer.'

'En na de oorlog ging hij vrijuit?'

Ze keek Eva aan met die nog heldere ogen. 'Hij is een van de mannen die daadwerkelijk na de oorlog zijn terechtgesteld, ter dood veroordeeld door de rechter. Hij had genoeg op zijn geweten om die straf te krijgen, want hij heeft veel slachtoffers gemaakt. Zegt het Scholtenshuis jou iets?'

Eva knikte snel en boog zich voorover. Ja, die naam kende ze intussen meer dan goed. Florian had erover gesproken, en ze had het nagezocht op internet en gelezen hoe de SS in de oorlogsjaren in dat oude herenhuis in de stad Groningen de opgepakte verzetsstrijders mishandelde, martelde en executeerde, geholpen door een aantal Nederlanders.

'Er is mij verteld dat mijn grootvader die beruchte marechaussee persoonlijk heel goed gekend moet hebben.'

'Jouw grootvader was een opgroeiende knaap in de jaren dertig. Ja, hij kende die vent, ze kwamen uit hetzelfde dorp. Alleen al daarom hadden ze hem nooit op pad mogen sturen met die Duitse vluchteling. Dat was niet eerlijk en ook niet vertrouwd.'

Het kwam er fel uit, erg fel voor een vrouw van haar leeftijd.

Ze zweeg een tijdje alsof ze moe was. Misschien was ze dat ook. Toen keek ze op. 'Roelof heeft zich bepaalde overtuigingen in het hoofd gezet over de oorlog. Ik weet niet of het wel de waarheid is die hij uitdraagt. Heel die speurtocht naar vroeger is voor mijn broer een obsessie geworden, het lijkt soms alsof hij erdoor bezeten is.'

Dat zei Schultze ook al, schoot het door Eva heen.

'Ik weet niet wat hij jou allemaal verteld heeft, maar een aantal zaken is niet waar.' Riek zweeg een tijdje, ze was moe van het praten, zag Eva en ze merkte op dat Riek zich niet te veel moest vermoeien.

Riek maakte een afwerend gebaar. Het verhaal moest eruit, leek het. 'Schultze had een slecht huwelijk, beweert Roelof al jaren.'

'Dat heeft Roelof niet tegen mij verteld,' zei Eva bevreemd.

Riek knikte alsof ze dat wel verwacht had. 'Die man zou kans zien om spoorloos te verdwijnen toen hij valse papieren kreeg in Groningen. Dat zou mijn vader tegen Roelof hebben verteld. Dat geloof ik niet, Roelof was nog een kind in die jaren. Over ontsnapte gevangenen werd niet gesproken, zeker niet met kinderen.' Ze keek op. 'Ons pa heeft voor de oorlog meerdere ontsnapten verder geholpen.'

Natuurlijk, dacht Eva. De vader zat al voor de oorlog in een soort van verzet. Stakingsleider, communist, noem maar op. Vader Grevinga had ongetwijfeld bemoeienis gehad met ontsnapte gevangenen uit het Emsland. Het zou me verbazen als dat niet zo was.

De vrouw aan de andere kant van de tafel vouwde haar handen samen. 'Ik vraag me af of die jonge Duitser dat verhaal over dat slechte huwelijk van zijn grootouders bekend is. Hij heeft het tegenover u niet genoemd?'

160

Eva schudde haar hoofd.

'Dat dacht ik wel.' Riek vouwde haar oude gerimpelde handen in elkaar. Langzaam draaide ze zich naar Eva. 'Roelof heeft zijn eigen plan: hij wil de naam van de verrader, die ons pa aanbracht. Daarom heeft hij jullie familie in het verleden al eens lastiggevallen. En dat doet hij blijkbaar nog steeds.'

Ja, Roelof had al jaren geleden bij oma op de stoep gestaan. 'Ik begrijp het niet helemaal. Heeft die geschiedenis van die Schultze iets te maken met het verraad waardoor uw vader jaren later werd opgepakt? Hoe dan?'

Riek zuchtte. 'Roelof zegt dat Jacob Reijnders zich niet alleen hoogst verdacht heeft gedragen in de zaak Wilhelm Schultze, maar ook raar handelde toen ons pa werd gearresteerd. Dat heeft hij al jarenlang beweerd, al vanaf de jaren vijftig.'

'Hoe kwam hij daarbij?' Eva voelde iets van schrik.

'Het zijn vermoedens en geruchten, die op een bepaald moment soms tot waarheid worden verheven. Ik zei al, je grootvader en die misdadige landverrader kenden elkaar erg goed, ze kwamen van hetzelfde dorp.'

'Is dat alles waarop Roelof zich baseert? Dat is wel erg kort door de bocht.'

Riek ging even verzitten in haar comfortabele stoel. 'Ja en nee. Kijk, kind. Dat mag ik zeggen, nietwaar? Uiteindelijk ben ik al aardig op leeftijd. Roelof is jaren jonger dan ik. De oudste en de jongste uit een gezin leven nog, zo gaat het vaker.' Ze zweeg een tijd en staarde naar buiten. Toen keek ze weer naar de jonge vrouw aan de andere kant van de kleine tafel. 'Er is meer dat vreemd en onopgelost is gebleven. In Groningen was men in maart 1940 weldra op de hoogte dat de operatie Schultze niet goed was gegaan. Men wist dat die woning in Assen intussen bekend was bij de autoriteiten als toevluchtsoord voor gevangenen. Het lijkt erop dat ze destijds hebben zitten wachten tot je grootvader aan zou bellen. Maar hij heeft nooit aangebeld.'

Eva keek haar aan. 'U was met hem verloofd tijdens de oorlog. Heeft hij ooit tekst en uitleg gegeven van die trip?'

Riek boog haar hoofd. 'Het bekende verhaal. Jacob werd weggestuurd door Wilhelm Schultze. Hij is weggegaan, zei hij.'

'U gelooft dat verhaal niet?' vroeg Eva. 'Het zou toch waar kunnen zijn wat Roelof beweert: dat Schultze andere plannen had? Dat zou toch heel goed kunnen?'

Riek schudde haar hoofd. 'Nee, het klinkt aardig, maar het klopt niet. Wilhelm Schultze was een doodzieke man, die ontsnapt was uit een concentratiekamp. Hij was te zwak om alleen te reizen. Ze hadden hem aardig te pakken gehad in Börgermoor. Hij sprak geen woord Nederlands, hij kende heg noch steg. Denk jij werkelijk dat hij je grootvader heeft weggestuurd? Dan moet hij lopend verder zijn gegaan, want Jacob had een tandem bij zich, geleend van een fietsenmaker, en die tandem is teruggebracht door hem. Nee, Schultze heeft nooit de weg vervolgd in zijn eentje. Hij had de kennis noch de kracht daartoe.'

Eva zuchtte diep. Ze staarde de oudere vrouw aan. 'Wat denkt u dat er gebeurd kan zijn? Is die Schultze meegenomen door die marechaussee? Was die man op de hoogte gebracht door mijn grootvader?'

Riek knikte wat verward. 'Volgens Roelof is het zo gegaan. Ik leerde jouw grootvader kennen door die geschiedenis. Ach, we waren nog jong, maar het klikte tussen ons. In de oorlog probeerden we contacten te onderhouden. Soms leek het leven bijna normaal. Na de oorlog groeiden we snel uit elkaar, er kwam te veel boven water. Ik… ik geloofde wat "men" vertelde dat hij de gevangene had overgeleverd aan die bekende van hem. Eenmaal een verrader, altijd een verrader. Dat betekende het einde voor ons, want hij weersprak de geruchten en vermoedens niet.'

'Hij weigerde te praten?'

'Ja.'

Typisch opa, dacht Eva. Dat gedrag vertoonde hij jaren later ook. Oma heeft het er niet eenvoudig mee gehad.

'Zat u in het verzet?' vroeg ze.

De vrouw glimlachte. 'Wat heet verzet? Een paar bonkaarten wegbrengen, een stapel ondergrondse kranten verspreiden. Meer niet. Nee, ik was geen koerierster, ik was bang, net als je grootvader.'

'Die werkte in Duitsland. Heeft hij nooit verteld waar hij precies werkte?'

Riek boog zich voorover. 'Die vraag heeft Roelof mij honderd keer gesteld en ik heb honderd keer gezegd dat ik het niet wist. In de buurt van zo'n kamp, vlak over de grens. Ik weet niet hoe die boer heette. Je vertelde zulke dingen niet als het niet strikt nodig was. Ik was niet blij met het feit dat Jacob in Duitsland werkte op vrijwillige basis.' Ze glimlachte Eva toe.

Die zweeg en staarde naar buiten. De bomen werden kaal, zag ze. Er liepen mensen over de parkeerplaats naar de ingang. Bezoek voor de ouderen die hier woonden.

Ze voelde een hand op de hare. 'Jacob heeft nare dingen meegemaakt, vooral toen in die kampen de krijgsgevangenen van de Duitsers werden ondergebracht. Dat hij daar niet over wilde praten, is goed te begrijpen. Executies, martelingen, ondervoede gevangenen en massagraven. Dat werd allemaal pas bekend na de oorlog. Zulke ervaringen zijn niet goed voor je geestelijke gezondheid. Dan leer je als jonge jongen dat de mensheid niet deugt, en dat neem je de rest van je leven mee.'

Eva slikte iets weg. Ze zag dat de oude vrouw moe werd en ze wilde zelf ook wel weg.

'Eén vraag nog. Hoe kwam Roelof erbij dat mijn grootvader zijn vader heeft aangegeven? Hadden ze nog contact na die geschiedenis met Schultze, vlak voor de oorlog?'

Riek keek op. 'Ons pa was ondergedoken, hij werd gezocht. Hij zat op een boerderij in Drenthe, niet eens ver van het dorp waar je grootvader officieel woonde. Op een dag in 1944 werd hij opgepakt. Die marechaussee was daarbij aanwezig. Hij beweerde na de bevrijding dat Jacob Reijnders had verteld waar ons pa was ondergedoken. Ik had het Jacob stiekem toevertrouwd, want ik wist het.'

Ze keek op. 'Pas later hoorde ik dat die vent vlak voor zijn executie heeft verklaard dat hij alles aan elkaar gelogen had om onder een veroordeling uit te komen, en ook om mensen gewoon dwars te zitten en tegen elkaar op te stoken. Dat is hem goed gelukt, mag ik wel zeggen. Maar daar wil Roelof niet aan.' Ze zuchtte. 'Ja, ook ik heb die eerste jaren geloofd dat je grootvader mijn vader had aangebracht… Daarom verbrak ik de verloving.'

16

Eva reed korte tijd later naar huis, moe van het verhaal, moe van alle verhalen die ze de laatste weken te horen had gekregen.

Het moest maar eens over zijn. Riek was de laatste die haar over opa verteld had. Ze wilde niet meer met dat verleden geconfronteerd worden. Ze had problemen genoeg in het heden, met John, met haar studie die de laatste tijd niet vlekkeloos verliep, en ze raakte steeds dieper verstrikt in verhalen die lang geleden waren voorgevallen en waar niets meer aan te veranderen viel.

Roelof had een dubbele agenda, hij speelde een merkwaardig spel. Hij vertelde halve leugens en halve waarheden. Het moest zijn zuster hebben tegengestaan, anders had ze niet aan de bel getrokken. Vooral die merkwaardige laatste woorden: 'Neem niet alles voetstoots voor waarheid aan wat je verteld wordt. Roelof speelt zijn eigen spel. Daar wil ik je voor waarschuwen, al heb ik het er moeilijk mee, want het is wel mijn broer en hij is de enige die er nog is.'

Dat werd voorlopig geen Roelof Grevinga meer, en geen Duitser over de vloer. En ook geen John. Ze besloot niet meer te reageren op e-mails en telefoontjes van wie dan ook.

Vooral Roelof had haar gekwetst. Het leek toch zo'n aardige oude baas...

Hij was boos geworden om dat mailtje dat John verstuurd had. Had hij misschien gedacht dat het onbeschofte en afwijzende mailtje kon betekenen dat zijn spel doorzien was? Was hij misschien heel opgetogen toen zij op de stoep stond en nederig haar excuus aanbood?

Een heftig getoeter deed haar opschrikken. Ze was ver over de middenstreep van de weg geraakt. Haastig stuurde ze terug. Ze keek in het woedende gezicht van de tegemoetkomende chauffeur. Je zag het hem denken: vrouw achter het stuur...

Die gedachten waren de meeste mannen nog niet kwijt, al bewezen alle statistieken dat die mening niet klopte. Ze wilden die mythe niet opgeven, net als Roelof de zijne niet wilde opgeven.

Ze hield haar gedachten beter bij het verkeer. Een ongeluk was zo gebeurd.

Tegen halfzes was ze weer thuis. Vanavond was ze gelukkig alleen, ze hoefde nergens naartoe. Inez kreeg misschien nog een telefoontje, verder hoefde er niets te gebeuren.

Ze wilde de wereld even niet meer zien, moe als ze was. Vanavond languit voor de buis met een mok koffie, en de deuren potdicht voor iedereen.

Nog voor ze de deur opende, hoorde ze de telefoon. Waarschijnlijk moeder, die niet wist waar ze uithing. Moeder had toch een beetje dat beschermende over zich, dat het net niet los kunnen laten van haar kinderen. Ze wilde graag weten wat die uitspookten al waren ze de deur uit.

Eva keek op de nummermelder. Het telefoontje kwam niet van moeder. Ze kende het nummer niet. Ach, laat maar, dacht ze. Ik heb er geen zin in.

Ze bleef weg bij de computer en weg bij de telefoon, en keek ontspannen naar een Engelse detective op de televisie. Ging het in het gewone leven maar zo eenvoudig bij het oplossen van de raadsels als in deze stukken, dacht ze nog. De detective kreeg een heldere gedachte zo'n kwartier voor het einde, en 'alles sal reg kom', zoals ze zeiden in Zuid-Afrika.

Zuid-Afrika. Opa was daar graag gebleven, had oom Henk gemeld vanuit Australië, en ook vader Piet wist dat. Waarom? Was het verleden daar ver van hem verwijderd? Kon hij daar de gebeurtenissen van zich af laten glijden? Welke gebeurtenissen waren dat dan? Had hij een streek uitgehaald die hij zichzelf niet kon en wilde vergeven? Of waren het de nachtmerries in die zwarte jaren toen hij in de buurt van die kampen werkte?

Toch kwam hij keurig terug naar Nederland, zijn vrouw wilde niet emigreren. Had oma geweten wat hem dreef? Had ze daar later misschien spijt van gekregen?

Het laat je niet met rust, meid, ook al wil je er niet meer aan denken. Je komt er niet uit met al je overpeinzingen. Die twee oude mensen kunnen niets meer vertellen.

Eva belde nog even met Inez. Ze knapte op, zei haar moeder.

De politie deed niets meer aan die zware mishandeling. De echt-genoot mocht dertig dagen niet in de nabijheid van zijn vrouw komen, dat was alles. Ze kon een hulpverlener krijgen om de pro-blemen te bespreken. Dat wilde die man van haar ook graag, die had zo'n spijt, had hij gezegd.

'Ja, natuurlijk,' zei Eva. 'Die ziet de bui al hangen. Heel zijn mooie leventje is naar de knoppen als er een scheiding komt. Dan moet hij aan het werk. Wat zegt Inez zelf?'

Een diepe zucht door de telefoon. Eva wist genoeg. Ze maakte een eind aan het gesprek en legde de telefoon neer. Inez nam geen besluit; die wachtte tot er voor haar werd gehandeld.

Wat was dat nou? Stupiditeit, eigenwijsheid of onmacht? Liefde kon het niet zijn, piekerde Eva. Misschien was het puur masochisme.

En jij dan, juffie? John laat niets van zich horen, maar als hij zo vasthoudend was als die man van Inez, wat dan? Hield je dan de deur ook nog stijf gesloten? Of gaf je een keer toe om van het gezeur af te zijn of zoiets?

Ze wist het niet. Ze keek op de klok. Bijna halfelf. Ze kroop in bed, besloot ze. Daar was het in ieder geval nog veilig.

De volgende dag ging Eva naar haar ouders voor een bak koffie. Ze was van plan te zwijgen over John en zeker niets los te laten over Riek Grevinga.

Vader Piet vertelde dat bekend was geworden dat Inez twee weken geleden ontslag had genomen bij het bedrijf waar ze werkte. Hij werkte daar zelf ook, een niet heel groot bedrijf met hooguit twintig werknemers. Hij had het vernomen van de direc-teur, die hij aansprak bij de voornaam. Ze hadden vroeger nog met elkaar gespeeld als kinderen. Inez werkte daar als secreta-resse.

Eva keek verwonderd op. 'Daar heeft Hettie, haar moeder, niets over gezegd.'

'Wat wil Inez nou dan?' vroeg Sonja ontstemd. Voor Sonja was het duidelijk. Ze moest van die vent af, zo snel mogelijk, en haar leven weer oppakken. Ze had een leuke baan en was van nie-mand afhankelijk. En nou ontslag nemen, waarom?

Piet haalde zijn schouders op. Hans, de directeur, was er niet rouwig om, zei hij nonchalant. Inez en haar perikelen waren in het hele bedrijf bekend. Van alle kanten had men haar gewaarschuwd, geadviseerd en wat dies meer zij, maar het hielp niet. Ze ging steeds weer terug naar die man.

'Ik zal je nog wat vertellen,' zei Piet. 'Ze gaat nu ook weer terug zo gauw ze opgeknapt is.'

Eva knikte tot zijn verwondering.

'Denk jij dat ook?' merkte hij op.

'Die meid lijkt wel verslaafd aan die man,' zei Sonja afkerig.

Ja, dacht Eva, dat kon het weleens zijn. Maar hoe komt een mens zover?

'Ik zou me maar wat meer gaan bemoeien met je andere vriendinnen,' sloeg Sonja voor. 'Ik sprak Rinske van der Veen deze week nog in de supermarkt. Ze heeft je in tijden niet gezien.'

'Ik haar ook niet,' zei Eva kortaf. 'Zo groot was ik nooit met haar.'

'Het is een aardige meid, haar vader heeft een grote zaak.'

'Dat is geen reden om de contacten weer aan te halen,' meende Piet. 'Me dunkt dat Eva genoeg omhanden heeft: haar werk, die cursus…'

'Dan hield ze misschien eens op met dat gesnuffel in het verleden waar niemand iets mee opschiet,' vond Sonja balsturig.

Eva keek ineens op. 'Moeder, wat weet jij eigenlijk van die oude verhalen over de oorlog en daarvoor?'

Sonja hief haar handen ten hemel. 'Je kunt ook nog geen woord opmerken of je wordt erop gepakt,' zei ze kortaf. 'Eens en voor altijd, Eva, ik weet daar helemaal niets van en ik wil er ook niets van weten. Dat heb ik al eerder verteld.'

'Waarom verbied jij mij dan om daar vragen over te stellen?' vroeg Eva onverstoorbaar.

'Wat heb je eraan als je die zaken weet? Je kunt er niets meer aan veranderen. Het is gebeurd, uit, voorbij.'

'Er zijn nu eenmaal zaken die nooit voorbijgaan, moeder.'

Sonja keek haar boos aan. 'Nou, dat geldt niet voor het verleden van opa. Hij is er niet meer. Er is bijna niemand meer van die generatie.'

'Dat wil niet zeggen dat het voorbij is. We zijn erdoor beïnvloed. Jij, je broers, zelfs de kleinkinderen.'

Piet luisterde zwijgend.

'Nou, ik niet,' kwam het nors.

Piet kuchte kort. 'Sonja, je bent er wel degelijk door beïnvloed. Dat moet je niet ontkennen, daar krijg je alleen maar last mee. Die last heeft je vader een leven lang gekend.'

'Maar ik weet daar niets van. Ik heb lang geleden die kerel, die Grevinga, aan de deur gehad. Hij begon over mijn vader en ik snapte niet waar hij het over had. Ik heb het een keer gevraagd aan mijn vader. Hij snoerde me de mond met de mededeling dat ik mij daarmee niet te bemoeien had en dat ik gewoon de deur dicht moest gooien voor al die nieuwsgierige lui. Dat heb ik gedaan bij die Grevinga, en ook bij een of andere jonge Duitser die hier nog maar een maand geleden aan de deur stond.'

Eva knikte voor zich heen. Ze geloofde haar moeder. Die houding paste bij haar.

Ga naar huis, meid, en laat de boel de boel, net als je moeder. Je hebt genoeg aan jezelf. Zwijg over opa, die verloofd was geweest voor hij naar hier kwam. Misschien was die verbroken verkering de reden dat hij vertrok uit zijn geboorteomgeving. Hij zou echt de enige niet zijn die om zoiets elders een toekomst zocht.

Ze dronk zwijgend haar koffie op.

'Nog iets van John vernomen?' vroeg Sonja ineens. Piet keek boos op. Zijn wenkbrauwen fronsten en hij leek 'nee' te schudden. Sonja keek snel voor zich en pakte een leeg koffiekopje van de tafel dat ze meteen weer neerzette.

Eva merkte het en vroeg kort: 'Jullie hebben blijkbaar wel iets vernomen,' concludeerde ze.

Piet keek het raam uit. 'We kunnen het beter maar vertellen, Sonja.'

Zijn vrouw zweeg. Piet kuchte. 'Ik had Leny, zijn moeder, gisteren aan de lijn. Die Amerikareis gaat niet door, die is afgeblazen. John wil niet vertellen waarom. Leny is bang dat het gevolgen zal hebben…'

'Dat is natuurlijk allemaal mijn schuld,' knikte Eva.

'Leny was niet rouwig om die afgelaste trip naar Amerika. Het spijt haar ontzettend dat de relatie met jou verbroken is; ze hoopt ergens dat er ooit nog eens gepraat zal worden.'

Eva zweeg. Weinig kans, dacht ze. Waarom gaat dat jaar in Amerika niet door? Wat is er voorgevallen?

Piet kuchte nog een keer. 'Leny verwacht dat hij stevig nadenkt over het feit dat een euro maar één keer uitgegeven kan worden,' merkte hij op. 'Al maakt ze zich zware zorgen over hem…' Hij stopte met praten.

Sonja bleef hardnekkig voor zich uit kijken.

'En verder?' vroeg Eva. 'Waarom maakt ze zich zulke zware zorgen?'

Beiden zwegen een ogenblik. Toen kwam Sonja ineens bijna vijandig: 'John gaat trouwen.'

Eva voelde hoe ze wit wegtrok. Het was alsof een vlijmscherpe steek door haar hart ging. John trouwen? Hoe kon dat? Hij was toch degene die haar vroeg of ze een ander had? Hij was toch de man die e-mails vanaf haar computer verstuurde in de mening dat zij andere vriendjes had? En ondertussen had hij zelf een ander. Zo de waard is vertrouwt hij zijn gasten, zei het spreekwoord. Maar wat een streek, boven op die andere.

Piet zag hoe bleek zijn dochter werd en boog zich voorover. 'Eva, ik denk dat jij blij mag zijn dat je er zo onderuit komt, ook al is jouw moeder een andere mening toegedaan. Als hij zich zo snel troost met een andere vrouw, klopt er iets niet.'

'Eva hield altijd de boot af…' mompelde Sonja.

'Eva?' wilde Piet weten. 'Ik meen weleens gehoord te hebben dat híj het huwelijk iets voor bezadigde, oude mensen vond. Hij zou die stap niet gauw doen, weet je nog? Zat hij niet in diezelfde stoel waar jij nou in zit toen hij die mening debiteerde?'

'Ach, hij had wel vaker van dat soort opmerkingen,' vond Sonja. 'Aandacht trekken, meer was het niet.'

Piet knikte. 'En nou trouwt hij dus toch, ook al gaat Amerika niet door.'

Sonja keek boos op. 'Dat doet hij om Eva te kwetsen.'

Piet grinnikte onaangenaam. 'De enige die hij kwetst, is dat meisje met wie hij trouwt. Als het om die reden gaat, is dat huwelijk binnen een jaar naar de knoppen, wat ik je brom.'

Eva zweeg en voelde, nu de eerste schok voorbij was, de woede en het verdriet door zich heen vlammen. Was hij zo boos, zo destructief dat hij zichzelf en een andere jonge vrouw een dreun voor het leven bezorgde?

Ze stond ineens op. 'Ik ga naar huis.' Ze wilde rust en stilte. Die had ze volop in haar eigen woning. Niet hier bij haar ouders, die het overduidelijk met elkaar oneens waren.

Sonja stond ook op. 'Eva, je kunt alles nog redden. Bel hem op…'

Eva keek haar moeder verbaasd aan. 'Ik peins er niet over, moeder. Je moest eens weten wat hij de laatste weken allemaal heeft uitgehaald. Ik heb lang niet alles verteld.'

Piet hief zijn hoofd op. Vandaar dat zijn dochter akkoord ging met een nieuw slot in de deur? Niet nu over beginnen, dacht hij, later maar eens.

'Dan trouwt hij met een ander,' merkte Sonja op. 'Dat wil jij niet laten gebeuren.'

Piet zuchtte hoorbaar. 'Sonja, houd er nou eens mee op. Geef eens toe dat je je in dat jongmens vergist hebt. Is zijn aanstaande de eerste de beste die hij tegenkomt na Eva, of loopt ze al langere tijd mee?'

Ja, het is goed dat je niet alles weet, pa, dacht Eva toen ze naar huis liep. John ging trouwen. Deed hij het om haar te beledigen, of om te laten zien dat hij iedere vrouw kon krijgen en niet op Eva zat te wachten?

Was ze inderdaad de dans ontsprongen, of was dit het begin van een levenslang verdriet?

Thuisgekomen ging ze zitten in haar hoekje van de bank en liet de nare gedachten over zich heen komen. De tranen kwamen ook. Ineens veegde ze ze resoluut weg en ze zei hardop: 'Je hebt te veel gehuild om hem. Hij is verantwoordelijk voor zijn eigen daden en jij voor de jouwe. Als hij meent deze stap te moeten zetten, dan doet hij dat maar. Je hebt een duidelijke streep gezet onder die hele toestand met hem, ook al is het nog maar een paar weken geleden. Natuurlijk is dit een klap in je gezicht; je betekent weinig voor hem, maar dat weet je al langer. Laat hem, jij hebt andere dingen aan je hoofd: je werk, je cursus…'

Opa, treiterde het door haar hoofd.

Ze had geen trek in eten. Ze nam een mok koffie en dacht er nog even over om weg te gaan. Gewoon even een kennis aanspreken; even over iets heel anders praten, roddelen, kwekken…

Nee, niet doen, meid, dat heeft geen zin. John heeft gewonnen, hij heeft je een dreun verkocht en dat was precies zijn bedoeling. Het is alleen de vraag wie uiteindelijk de hardste dreun krijgt.

Ineens liep ze naar haar werkkamer, waar ze de computer aanzette. Langzaam kwamen de letters en tekens op het scherm tevoorschijn. Ze keek in de mailbox. Nog steeds niets van Florian Schultze, zag ze. Die dacht natuurlijk bij zichzelf: ze zoekt het maar uit. Dat moet ik ook, ik moet het allemaal zelf uitzoeken. Jij ook trouwens.

Wat kon het haar schelen of hij ooit nog iets van zich liet horen? Ze had nergens om gevraagd. En toch, ondanks alles was ze teleurgesteld. Het was een klein tikje bij die andere dreun. Nee, ze vond het niet leuk dat hij zweeg in alle toonaarden. Hij was zeker te diep gekwetst. Ach, die jonge kerels met hun monumentale ego's. John, Florian Schultze…

En Roelof Grevinga? Wat moest ze met die man? Stoppen met dat hele gedoe, dat was het beste en het definitiefst. Kijk naar je moeder, die heeft achteraf gezien volkomen gelijk. Ze wist niets en ze wilde niets weten.

Opa's verleden was zijn verleden, niet het hare.

Ze diende respect te hebben voor zijn beweegredenen. Hij had altijd keurig gezorgd voor zijn gezin. Hij had het gezin zelfs een jaar verlaten om geld te verdienen in den vreemde. De man verdiende alle lof die hem toekwam. En donkere bladzijden had iedereen in het leven.

Zij ook, een heel zwarte zelfs, die John Vosmeer heette.

Ze sloot de computer af en beende terug naar de kamer. De tranen sprongen weer in haar ogen. Waarom moest het allemaal zo'n pijn doen? Waarom kon ze niet gewoon haar schouders ophalen en denken: geluk ermee, jongen, je komt er ooit wel achter.

De deurbel ging. Wie was dat, de buurvrouw, of Joost die kwam vragen of er nog iets was gebeurd met de computer? Ze was blij met dat joch, hij was zo handig met die computer. En misschien had hij nu ook nog luchtige verhalen over studie en sport, die haar opkikkerden.

Ze liep door de gang naar de deur en opende hem zonder goed te kijken wie er voor de deur stond.

Toen pas zag ze het. Florian Schultze. Waar kwam die ineens vandaan? En uitgerekend op dit moment. Zo gebeurde het in boeken op de een-na-laatste bladzijde; ze leefden nog lang en gelukkig daarna. Hij stond hier met die blik van: tja, ik neem het risico dat jij je deur dichtgooit voor mijn neus, net zoals je moeder deed. En hij stond hier op zondagavond. Hoe laat was het eigenlijk? Net halfzeven, zag ze tot haar verbazing. Ze had verwacht dat het al veel later zou zijn.

'Ik was hier vanmiddag ook, helaas niemand thuis,' zei hij met een schuine blik. 'Ik werd opgevangen door jouw buurjongen, Joost.'

Ze knikte onzeker, noodde hem binnen en sloot de deur.

'Geschikte knaap overigens, die Joost. Hij bood me koffie aan bij hem thuis. Jij kwam zo weer terug, zei hij. Zijn moeder was even weg,' meldde Florian.

Ja, Joosts moeder had nog een oude moeder van tegen de tachtig, zij woonde aan de overkant van de straat. Daar zou ze ongetwijfeld naartoe zijn gelopen. Joost had geen vader meer, die was vertrokken toen Joost vier jaar was. Hij leek daar trouwens niet onder te lijden. Hij was een heel geschikte knaap, daar had Florian helemaal gelijk in. Niet alleen omdat hij een computerfreak was, het was gewoon een gezellige, plezierige knul. Een verademing tussen al die jongelui die zich zo vaak misdroegen in disco's en op sportvelden, had ze weleens gedacht.

Dus vanmiddag had hij Florian aangeklampt. Net iets voor hem.

Ze ging de Duitser voor naar de kamer. Hij volgde haar met zijn jas nog aan. 'Hij vertelde mij over die man die een aantal e-mails had verstuurd vanaf jouw computer…' hoorde ze hem zeggen.

Ze gaf geen antwoord, ging zitten op haar eigen plekje in de hoek van de bank. Hij ging zitten in de comfortabele fauteuil.

'Ik had ook al zoiets gehoord van Roelof Grevinga,' knikte hij enkel. 'Daarom besloot ik zelf te komen, zonder mij van tevoren te melden en met het risico dat je er niet zou zijn.'

Ze zweeg opnieuw.

'Jij ziet er slecht uit,' zei hij ineens.

Ja man, zo voel ik me ook, doodziek van narigheid. Ik heb echt meer dan genoeg aan mezelf, dacht ze. Begin niet over mijn opa en jouw opa. Ik heb er even genoeg van, mag dat?

'Eva, als jij niets meer wilt weten van die oude geschiedenis, dan accepteer ik dat,' zei hij toen. 'Ik ben gekomen om je dat te zeggen. Ik heb jou daarmee overvallen, en Roelof deed dat ook. Dat hadden we niet mogen doen. Maar die geschiedenis speelt al zo lang voor ons beiden dat wij de regels van fatsoen soms hebben overschreden.'

Hij bood zijn verontschuldigingen aan, dacht ze verbaasd. Was dat dan nodig? Wat had hij nou eigenlijk voor onfatsoenlijks gedaan? Hij wilde inlichtingen, en hij had er nooit omheen gedraaid wat hij wilde weten.

Ze keek hem aan en knikte lusteloos. Het was goed, zei die knik.

Hij kwam naar voren uit de stoel. 'Eva, vertel eens wat jou dwarszit. Wat is er gebeurd?' vroeg hij vriendelijk, maar vastberaden.

Ineens gooide ze het verhaal eruit. John, die naar Amerika wilde, John, die geld wilde voor dure tickets en het verblijf daar, want hij had het zelf niet, John, die binnendrong in haar huis, die nu zomaar ineens met een ander ging trouwen. Twee jaar hadden ze met elkaar omgegaan...

Hij luisterde zonder een opmerking te maken. Toen ze eindelijk zweeg, vechtend tegen de tranen, nam hij haar hand en hij keek haar recht aan.

'*Herzliche Glückwunsch*,' zei hij enkel.

Ze keek hem woedend aan. 'Wat zeg je?'

'Ja, met zo'n man moet je niet getrouwd willen zijn. Dat wordt een lang leven van pijn en verdriet. Nu is je trots misschien gekwetst, dat gaat weer over.'

'Wat weet jij daarvan?' bitste ze.

'Genoeg om te weten hoe dat voelt. We hebben allemaal wel zoiets in ons leven ervaren. *Come on, girl*, je bent ontsnapt.' Hij kwam naast haar zitten op de bank. Ze verbood het niet. Misschien had ze behoefte aan een troostende arm.

'Zal ik koffie voor je maken?' bood hij aan. 'Heb je al wat gegeten?'

Nee, dat had ze niet. Hij ook niet, bekende hij lachend.

Ze stond op en maakte een paar boterhammen klaar, terwijl hij koffiezette. Ze voelde de pijn niet meer zo knellen. Praten hielp, dacht ze.

Ze was opgelucht dat er iemand was, al was het die Duitser.

Toen hij tegen negen uur vertrok, voelde ze zich heel anders, veel rustiger. Hopelijk lag ze vannacht niet de halve nacht wakker. Ze moest morgen weer aan het werk.

Toen ze hem nakeek, bedacht ze dat hij met geen woord gerept had over die oude geschiedenis, over opa, over die Emsland-kampen, over zijn verdwenen grootvader. Hij had geaccepteerd dat zij afgehaakt was.

Hij had alleen gevraagd of hij nog eens terug mocht komen. Hij vond haar aardig, zei hij. Hij zou graag met haar in contact blijven. Maar als ze daar bezwaar tegen had…

Ze had het toegestaan. Hij mocht weleens terugkomen, voor een gewoon bezoek. Verder wilde ze nu niet denken. Dat begreep hij, zei hij ernstig.

Toen de auto was verdwenen, haalde ze diep adem. Ze voelde zich wat beter. Het leek alsof er een paar pondjes last minder op haar schouders beukten.

17

Het bleef een tijdje rustig op het front, dacht ze later. Geen last van onverwachte telefoontjes of van onwelkome berichten.

Op haar werk ging het ook wat prettiger, merkte ze, nu ze weer in een normaal stramien terechtkwam en de opwinding van de laatste weken voorbij leek te zijn.

Ze miste John niet, moest ze zichzelf bekennen. Het was net alsof er een stukje rust was gekomen, dat ze voordien niet gekend had. En dat was ook het geval, besefte ze. Met John hing er altijd iets van spanning in de lucht, en niet altijd een plezierige spanning. Nu ze erop terugkeek, begreep ze waarom ze afstandelijk was gebleven. Onbewust wist ze dat hij niet de liefde van haar leven was.

Misschien was ze ook geen type voor avontuur en ongewisheid. Sommigen waren daaraan verslingerd, konden niet zonder die stress. Zij wel, graag zelfs. Ze wilde overzicht in haar leven. Bergen beklimmen, onbekende, gevaarlijke landstreken bezoeken, uit vliegmachines springen en dergelijke avonturen, dat was niets voor haar. Ze was het liefst thuis bij de dagelijkse beslommeringen.

Toch voelde ze een schok toen een collega ruim een week later bij haar kwam met een krant in zijn hand.

'Eva, ik wil je toch iets laten zien,' zei ze langzaam.

Ze reikte de krant aan, opengevouwen in het midden bij de familieberichten. Eva las het langzaam door. Een aankondiging van een aanstaand huwelijk: John Vosmeer en nog een naam. Maar niet de hare.

'Ik wist het,' bracht ze uit.

Haar collega knikte. 'Dit zal pijn doen, denk ik. Hij troost zich wel erg snel met een ander.'

'Dat is zijn zaak,' zei Eva enigszins schor. In gedachten hoorde ze die Duitser zeggen: '*Herzliche Glückwunsch.*'

'Hij is vrij om een huwelijk aan te gaan. Ik heb er niets mee te maken,' zei ze heel wat onverschilliger dan ze zich voelde.

De ander keek haar aan. 'Maar leuk is anders, nietwaar? Mijn man kent hem redelijk goed. Het meisje met wie John wil trouwen, is een collega van hem. Zij is al eens getrouwd geweest.'

Ik wil dat helemaal niet weten, dacht Eva. Hij moet vooral doen wat hij meent te moeten doen.

'Ze heeft al langere tijd achter hem aan gelopen,' hoorde ze haar collega vertellen.

Eva knikte kort en nam haar werk voor zich. Een subtiele hint om op te houden over John.

De collega merkte het en liep weg met de krant. Eva keek haar na. Het zou snel genoeg bekend zijn. Wat maakte het nog uit?

Maar het deed wel pijn. Wat had ze voor John betekend? Waarschijnlijk niet veel. Zijn gevoelens gingen niet zo diep voor haar; voor die ander, die straks zijn echtgenote was, evenmin, meende Eva.

Het bleef door haar hoofd zingen. Die avond ging ze naar huis in plaats van naar school. Ze kon de gedachten er niet bij houden, het was beter thuis te zitten piekeren dan in het klaslokaal.

Misschien nog even naar Inez. Die knapte weer aardig op, maar wat er ging gebeuren was maar de vraag. Ze zou van tevoren even bellen, want een bezoek kon ongelegen komen.

Hettie Zandink pakte aan. 'Ja?' kwam het kort.

'Met Eva,' zei ze wat bevreemd. Die botte toon was niks voor Hettie.

'O Eva, ik dacht dat het iemand anders was. We hebben een ouderwetse telefoon zonder nummermelding.'

Eva vertelde dat ze even langs wilde komen.

'Het spijt me, maar je zult naar het oude adres van Inez moeten om haar te spreken.'

'Wat zeg je?' vroeg Eva verbijsterd.

'Ze is vanmiddag naar huis gegaan…' kwam het effen.

'Dat meen je niet,' bracht Eva uit.

'Helaas wel,' zei Hettie met een diepe zucht.

Eva legde langzaam de telefoon op tafel. Wie was er nou gek? Wat bezielde Inez? Een kind kon je een draai om zijn oren geven, een volwassene niet. Maar je zou het doen bij Inez.

Nee, Eva ging niet bellen naar het huisadres van haar vriendin. Die moest het nu zelf maar uitzoeken, net zoals Hettie zei.

In elkaar geslagen, nog maar amper veertien dagen uit het ziekenhuis ontslagen of ze was alweer terug naar die man van haar.

Voor de hoeveelste keer? Het wachten was tot ze weer vertrok.

Eva ging zitten. Wat zou zij doen in zo'n geval? Nee, ze ging niet terug, zeker weten. Ze wilde John ook niet terug, voor geen geld…

En toch, iets kwelde haar nog steeds. John was niet de enige die met haar vertrouwen had gespeeld. Roelof Grevinga had haar er ook mooi in laten tuinen, meende ze. Die aardige oude baas. Zijn zus, verloofd geweest met opa.

Ze zou nog eens een balletje opgooien bij moeder Sonja. Zou die dat ook niet geweten hebben? Waarschijnlijk niet.

En Florian Schultze? Wat moest ze met die man aanvangen?

'Voorlopig hoef ik helemaal niets,' zei ze hardop. Florian is anders best een aardige vent, siste het door haar heen.

Een Duitser was bij moeder niet welkom, dat wist Eva nu al.

Waarom eigenlijk niet? Was het een ouderwets vooroordeel? Daar had moeder weleens vaker mee te kampen. Daar hoefde ze zich geen zorgen over te maken. Voorlopig zou geen enkele man goed vallen bij haar, bij vader Piet trouwens ook niet.

Niet aan denken, vanavond ging ze gewoon uit. Er was een lezing van een club waar ze bij aangesloten was, en ze zou een heleboel bekenden ontmoeten. Ze was er de laatste tijd veel te weinig geweest. En niemand zou vragen naar John, want John was nog nooit mee geweest naar zo'n bijeenkomst, die vond dat niets.

Even iets totaal anders doen, daar knapte een mens van op, bedacht ze toen ze tegen halfelf thuiskwam van de lezing. Haar gedachten waren bij een heel ander onderwerp geweest. Ze had een leuke avond achter de rug. De lezing was maar zozo, maar de pauze was des te gezelliger.

Zulke dingen moest ze vaker ondernemen. Dat was beter dan thuis zitten kniezen.

Later die week las ze een artikel in de krant over werken in Duitsland. Niet dat het iets te maken had met het verleden van opa, maar het ging om het verschil tussen de sociale wetten in Duitsland en die in Nederland tegen de achtergrond van Europa en zijn regels.

Ineens schoot het door haar heen: wat voor mensen zouden het zijn geweest waar opa ooit gewerkt had? Die oude boer leefde natuurlijk niet meer. Misschien een van de kinderen nog wel. Hoe kwam ze achter het adres van die mensen?

Wie kon dat weten? Florian? Welnee, die zocht naar zijn grootvader.

Roelof Grevinga misschien, maar met hem wilde ze geen contact meer.

Ze moest Florian voorlopig ook even op afstand houden. Het was maar één stap van hem naar Grevinga.

Ze moest het vergeten, dacht ze toen vastbesloten. Ze moest zich richten op haar eigen zaken. Niks Grevinga, niks opa, en ook niks Inez en al helemaal geen John.

Het bleef toch door haar hoofd spelen. Het was net die beroemde klemmende deur die niet dicht wilde. Ze was met het virus besmet geraakt. Het tartte haar, ze droomde er soms over in bizarre beelden die nergens op sloegen.

Moest ze doorpakken en gaan zoeken? Of kort en bondig besluiten er niet weer over te denken? Dat ging niet, besefte ze een paar dagen later. Het bleef door haar hoofd spelen. Hoe kon ze achter het adres van die Duitse boer komen?

Ondanks haar voornemen pakte ze de telefoon en belde een goede kennis die archivaris was bij het gemeentearchief.

Hij wist het niet zeker, zei hij bedachtzaam. 'Als je voor de oorlog in Duitsland ging werken, moest je een bepaalde verklaring aanvragen bij de gemeente. Heel veel Nederlanders werkten toen in Duitsland, zeker de laatste vijf jaren voor de oorlog. Volgens mij stond er in die verklaring ook wie je werkgever daar was. Gedurende de oorlogsjaren ging het anders. Daar speelde het arbeidsbureau een rol in. De eerste jaren van de oorlog werd er goed verdiend in Duitsland. Dat veranderde toen de Duitsers verliezen kregen te incasseren.'

Opa werkte al voor de oorlog bij die boer, hij was daar gebleven toen de Duitsers Nederland bezetten.

'Ik moet dus bij het gemeentehuis zijn in de plaats waar mijn grootvader toen woonde?' vroeg ze.

178

De ander beaamde dat.

Diep in gedachten legde ze de telefoon neer. Zou zo'n verklaring nog bij de gemeenten liggen, of waren die allemaal vernietigd?

Ze kon er altijd een mailtje aan wagen. Nee had ze, ja kon ze krijgen. En dan zag ze wel verder.

Zonder aarzelen zocht ze op de website van de gemeente waar opa geboren was naar een mailadres en stuurde een bericht met de vraag of die verklaringen van werken voor de oorlog in Duitsland bewaard waren gebleven.

Hopelijk kreeg ze bericht. Maar misschien hoorde ze ook nooit iets terug. Dan was het van haar schouders af. Dan had ze gedaan wat mogelijk was.

Niets van zeggen tegen haar ouders, bedacht ze. Die waren allang blij dat ze niet meer over opa en vroeger begon. Die spogen vuur als ze hun vertelde dat ze nu in haar eentje aan het speuren was geslagen.

Sonja was volop bezig met de verbroken relatie van haar dochter. Ze zou het liefst in de trein stappen en naar Zwolle gaan om John aan te klampen om eens even iets recht te zetten.

Maar Piet vroeg haar of ze dat alsjeblieft uit haar hoofd wilde laten. 'Als je tenminste nog contact wilt onderhouden met je dochter. Ben je nou helemaal mal om achter haar rug haar zaken te gaan regelen? Dat laat je.'

Dat zag Sonja ergens ook wel in. Maar ze belde toch nog een keer met Leny, de moeder van John. Die had haar zoon de laatste weken niet gezien, niet meer sinds het plan van Amerika was afgelast. Hij scheen zijn moeder een beetje te ontwijken. De bruiloft zou weldra plaatsvinden en Leny was niet van plan zich daar te laten zien, had ze al gezegd.

Piet lachte erom toen Sonja het bijna tevreden vertelde. 'Natuurlijk gaat ze wel,' zei hij enkel. 'Het is haar enige zoon.'

Toen gaf ook Sonja het op. Het was voorbij, al speet het haar meer dan ze kon zeggen, merkte ze nog op.

Daar bleef het hopelijk bij, hoopte Piet.

Met een goeie week kreeg Eva tot haar verrassing een berichtje terug van de Drentse gemeente. Die verklaringen van voor de oorlog waren er allang niet meer. Maar als de betrokken werknemer woonde bij de familie over de grens, dan was er waarschijnlijk een verklaring van Nederlanderschap aangevraagd omdat hij min of meer geëmigreerd was; die verklaring moest elke vijf jaar vernieuwd worden bij de gemeente waar de betrokkene het laatst had gewoond. Dat gold voor grensbewoners nog tot 1940, daarna was alles veranderd.

Bij vele gemeenten waren die paperassen verdwenen of afgeleverd bij andere archieven, maar deze gemeente had ze bewaard. Er waren tijden dat de halve manlijke bevolking in Duitsland werkte. En ja, er was er een van Jacob Reijnders, landarbeider. Mocht ze daar een afschrift van willen hebben, dan kon ze dat afhalen bij het gemeentehuis tegen een kleine vergoeding.

Ze dacht er twee dagen over na, toen nam ze een kort besluit. Ze ging nog één keer op pad voor die verklaring. Stond daar niets op, dan stopte ze ermee. Ze stuurde opnieuw een mailtje dat ze de vrijdag daarop de verklaring graag persoonlijk wilde ophalen.

Ze nam een vrije dag, zweeg erover tegen haar ouders en reed die vrijdagmorgen al bijtijds naar Drenthe. Ze wilde meteen door naar die familie, vlak over de grens, als die vermeld werd op die akte. Mochten die mensen haar niet willen ontvangen, jammer dan. Ze had het in ieder geval geprobeerd. Misschien kon ze dan ook simpelweg de hele geschiedenis voorgoed achter zich laten.

Tegen tien uur was ze bij het loket in het gemeentehuis. Haar spullen lagen al klaar, merkte ze. Ze kreeg de papieren mee in duidelijke kopieën en betaalde het legesbedrag dat de gemeente ervoor vroeg.

Toen ze weer buiten stond, keek ze eerst rond en liep de straat over naar een klein restaurant, waar ze een mok koffie bestelde. Ze had daar trek in.

Ze legde de papieren voor zich op tafel. De werkgever van opa stond vermeld: ene Alberts in Dalum. Dat was hier vlak over de grens, zag ze toen ze de plattegrond van de streek bekeek.

De oudere vrouw die de bestelling kwam brengen, zag Eva

ijverig studeren in de papieren en keek even vrijmoedig over haar schouder terwijl ze de koffie op de tafel zette. 'Ach,' zei ze. 'Mijn vader moest ook zulke documenten aanvragen. Die werkte ook in Duitsland voor en tijdens de oorlog.'

'Vrijwillig?' vroeg Eva neutraal.

'Ja, natuurlijk, dat deden ze hier bijna allemaal, al ver voor de oorlog. Hier was toch geen werk te vinden in die jaren. In het begin van de oorlog hoefden de gezinsleden van iemand, die zich vrijwillig meldde voor werk in Duitsland niet bang te zijn voor tewerkstelling. Vanaf eind 1943 werkte dat niet meer, hoor. Toen moesten de mannen alsnog onderduiken. Meestal ging de jongste van de broers vrijwillig naar Duitsland, die kwam vaak redelijk goed terecht bij de boeren vlak over de grens.'

'Mijn grootvader deed dat ook.'

'Kwam hij hiervandaan?' vroeg de vrouw nieuwsgierig.

'Ja,' zei Eva en ze aarzelde even. De vrouw sprak met een knauwend accent, dat bewees dat ze hier waarschijnlijk geboren en getogen was. Zou ze de naam Reijnders kennen? Maar toen nam ze een besluit en zei kort: 'Zijn naam was Jacob Reijnders.'

De vrouw fronste haar wenkbrauwen. 'Jacob Reijnders? Die naam heb ik weleens gehoord. Maar die is toch vertrokken naar elders vlak na de oorlog?' Ze bleef even staan bij de tafel.

'Ja, hij ging naar Twente, naar de textiel,' gaf Eva toe.

De serveerster knikte. 'Ja, mijn vader kende hem wel. Aardige vent, hij had het weleens over hem. Ze werkten allebei bij boeren in het grensgebied.'

'U bent hier geboren?'

'Ja, en getogen, getrouwd en oma ook al,' lachte de vrouw. Toen keek ze Eva aan. 'Het is hier een klein dorp. Je houdt hier niet zoveel geheim. Ons kent ons.'

Eva knikte.

'De oorlog is nog lang niet vergeten, vooral niet omdat we allemaal familie over de grens hadden en nog steeds hebben. In die jaren stonden ze tegenover elkaar met het geweer in de hand. Dat heeft diep ingegrepen.' De vrouw ging even zitten, het was rustig. 'Mijn vader had het vaak over die tijd. Niet iedereen was te vertrouwen. Er schijnt hier een vent te zijn geweest die heel erg verkeerd was in die jaren. Ik geloof dat het nog familie was van je grootvader, een neef of zoiets. Ik heb het tenminste meer dan eens horen zeggen. Hij was, geloof ik, bij de grensbewaking...'

De vrouw stond op en liep verder. Er kwamen andere gasten binnen.

Eva was verbijsterd. Die beruchte marechaussee was een neef van opa?

Ze dronk haar koffie op, betaalde en liep naar buiten, nog steeds onder de indruk van die mededeling.

Dat wilde ze nog verder uitzoeken, dacht ze, terwijl ze langzaam wegreed in de richting van de Duitse grens. Het werd steeds akeliger. Moeder had gelijk: die wilde niets weten.

Ze reed in de richting van Meppen naar het dorp Dalum. Hier was opa in de buurt als boerenknecht werkzaam geweest. Ze stopte even langs de weg en keek naar het adres.

Het was buiten het plaatsje Dalum, merkte ze toen ze vroeg naar de boerderij van Johannes Alberts. Men keek niet vreemd op omdat een buitenlandse naar het adres vroeg. Er zouden hier wel vaker Nederlandse auto's rijden.

Eva bedacht dat die oude Johannes niet meer in leven kon zijn. Misschien heette de zoon ook Johannes? Het boerenbedrijf was blijkbaar van vader op zoon verdergegaan.

Het was niet eens moeilijk te vinden. Ze reed langs een smalle weg met hier en daar een woning en veel boerenland. De velden waren weer leeg, de oogst was geborgen. Tja, ruim oktober alweer.

Ineens een bordje: *Kriegsgräberstätte*. Ze had Florian het woord horen noemen. Begraafplaats voor krijgsgevangenen. Ze stopte de auto en stapte uit. Ze volgde het bordje, liep het smalle pad af door een stukje bos en kwam door een poortje op een kaal grasveld dat weinig groter was dan een weiland met aan de rechterzijde een standbeeld. Een plaquette vermeldde dat er hier onbekende Russische krijgsgevangenen begraven lagen. Men schatte in totaal zo'n acht- tot zestienduizend. Die schatting was aan de lage kant, had Florian gezegd.

Eva keek om zich heen, de stilte was voelbaar. Het was bijna windstil, de natuur droeg haar doodskleed, dacht ze, terwijl ze keek naar de geel wordende bladeren aan de bomen. Het was een goede entourage voor deze verlaten omgeving.

Opa had de lichamen van de krijgsgevangenen moeten vervoeren op een boerenkar, hiernaartoe?

Afschuwelijk, dacht ze. Hoe oud was hij? Jonger dan zij nu.

Langzaam liep ze naar de auto.

Ze reed een eindje terug naar de smalle weg. Als er een auto tegemoet kwam, moest ze de berm in, dacht ze.

Niet eens zo veel verder zag ze de boerderij, een honderd meter van de smalle weg af. Een grote hoeve met grote schuren. Hoe zou de ontmoeting gaan? Wilden de mensen haar te woord staan of werd ze van het erf gejaagd? Het gebeurde zo vaak dat mensen afweerden: niks mee te maken. Daar praten we niet over.

Roekeloos ineens reed ze het pad op naar de boerderij.

Nog voor ze uit de auto was, kwam al een man van rond de zestig naar buiten, gevolgd door een vrouw, ongeveer even oud. Rustige mensen leken het, eenvoudig gekleed zoals het leven op een gewone doordeweekse dag op een boerderij dat nodig maakte. Ze keken haar verwonderd en vragend aan, zagen het Nederlandse kenteken van de auto en bleven staan, een beetje afwachtend.

'*Gutentag*,' probeerde Eva in haar beste Duits.

De man en de vrouw antwoordden met 'Goedendag.' Ach ja, het dialect was goed te verstaan.

'Ben ik hier bij Alberts?' vroeg Eva.

'Ja,' kwam het kort.

'Mijn naam is Eva van den Bergh. Mijn grootvader heeft hier gewerkt, lang geleden, Jacob Reijnders.' Ze wachtte gespannen af. Kenden ze de naam en hoe reageerden ze daarop?

Ze zag hoe man en vrouw elkaar aankeken. 'Reijnders, die kleine Jacob?' vroeg de man een beetje verrast. 'Ja, die heeft hier gewerkt in de oorlog, voor de *Krieg* en tijdens de *Krieg*.'

Ze knikte heftig. Kleine Jacob. Zo klein was opa niet geweest, maar hij was wel jong, dat wel.

'Dat weet mijn vader beter. Hij is binnen, niet zo goed ter been meer. Ach ja, hij is ver in de tachtig. Hij was toen nog een jonge jongen, 'n *Bube*.'

Ze vroegen niet naar papieren, ze geloofden haar op haar woord, dacht ze toen ze werd binnengenodigd. Het leken aardige mensen, gastvrij ook. Ze was tenslotte een wildvreemde buitenlandse, die onverwacht kwam aanwaaien.

In de grote woonkeuken met een lange bank langs twee muren zat een oude man. Hij keek op toen hij hen binnen zag komen. Hij werd met een paar woorden op de hoogte gebracht en keek nieuwsgierig naar de jonge vrouw, die onverwacht zijn keuken en zijn leven binnenstapte.

'Ik maak koffie,' zei de vrouw meteen en ze ging ijverig aan het werk.

'De kleindochter van Jacob Reijnders,' zei de man en hij schoof naast zijn vader op de bank.

De oude man glimlachte, zijn ogen waren van een fletse en lichtelijk troebele blauwe kleur, zoals oude mensen dat vaker hadden. De oogleden hingen een beetje over de ogen heen, het voorhoofd gerimpeld, het haar was wit voor zover er nog haar was.

'Jacob Reijnders,' kwam het langzaam. 'Die naam heb ik jaren niet gehoord.' Hij boog zich naar Eva toe en strekte zijn hand uit. 'Johannes Alberts,' zei hij met enige plechtstatigheid.

De boerin rammelde met potten en kopjes en zette het koffiezetapparaat aan.

'Leeft Jacob nog?' kwam de vraag van de oude man.

'Nee, hij is pasgeleden overleden,' zei Eva zacht. 'Dik in de negentig.'

'Ja, hij was ouder dan ik,' knikte Jacob. 'Hij heeft lang bij ons gewerkt, al voor de oorlog.'

'Hij wilde niet praten over die tijd,' vertelde Eva ineens. Het gesprek ging gemakkelijk, het dialect was goed te verstaan met hier en daar een Duits woord. Het gesprek liep vlot alsof ze al vaker over de vloer was geweest.

Het bleef even stil toen ze die laatste opmerking maakte. Toen glimlachte de oude man weer. 'Ja, dat begrijp ik volledig. Zo mooi was die tijd niet. Het deugde ook niet. Dat zei mijn vader destijds ook al. Het is niet goed wat er allemaal gebeurt. Maar dat durfde je alleen binnenskamers te zeggen. Er liepen te veel mensen weg met Hitler en zijn kompanen.' Hij wreef met een rode zakdoek over zijn gezicht. 'O ja, de eerste tijd waren wij ook enthousiast over die man. Die haalt Duitsland erbovenop, dacht iedereen. Werkgelegenheid, een beter leven voor de gewone man. Het was niet best in deze omgeving, nooit geweest ook.' Hij zweeg.

Zijn zoon naast hem knikte ter instemming. 'Het was hier een zwaar leven, juffrouw. Krabben in het veen, onvruchtbare grond, er wilde weinig groeien. Mijn ouwelui hebben armoede gekend, mijn grootouders nog meer, en wat voor armoede.'

'Hitler zou het allemaal beter maken voor iedereen,' zei Johannes. 'Maar die hoop duurde niet lang. Er werden hier kampen gebouwd, eerst nog op een aantal kilometers afstand, maar in 1937 begonnen ze hier ook met zo'n kamp. Ach, je had er weinig last van, het lag helemaal afgelegen. Het waren misdadigers die er zaten, werd mijn vader verteld.' Hij zweeg weer.

De zoon viel in: 'De mensen zagen ook wel dat er iets niet klopte.' Hij boog opzij toen zijn vrouw melk en suiker op tafel zette. Hij zweeg een ogenblik en schoof de tafel iets van zich af.

De oude man nam het woord weer. Het leek alsof ze blij waren dat ze konden vertellen. 'Maar de mensen hier zagen met eigen ogen zaken die niet thuishoren in een rechtsstaat. Wij hadden allang in de gaten dat het niet alleen maar om gevaarlijke bandieten ging. Het waren veel vaker mensen die Hitler in de weg stonden. Politieke gevangenen...' De oude man knikte voor zich uit. 'En toen kwam de oorlog en het werd nog erger, ook voor ons. Het kamp Dalum was geen strafgevangenkamp meer, maar er kwamen krijgsgevangenen in, Russische krijgsgevangenen.'

Eva luisterde zonder een woord te zeggen. Ze knikte dankbaar naar de vrouw die mokken koffie over de tafel schoof, naar haar en naar de twee mannen. Zelf ging ze ook zitten aan de andere kant van de tafel met een mok voor zich. Ze luisterde aandachtig. Zo vaak zou dit onderwerp niet ter sprake komen, zeker niet met buitenlanders. Men wilde liever vergeten, zoals opa dat ook had gewild.

De oude man keek haar aan, de zakdoek in de hand. 'Ik had

twee ooms, jonge kerels in de jaren dertig, broers van mijn vader. Die moesten in dienst, naar het oostfront. Ze zijn nooit teruggekomen, de een is gesneuveld bij Stalingrad; van de ander hebben we nooit iets vernomen. Vermist, zoals dat heet.' De oude man knikte weer voor zich heen. 'Mijn grootmoeder heeft het nooit kunnen verwerken, ze is een jaar na de oorlog gestorven van verdriet. Het is ook niet niks: twee van de drie zoons opgeofferd aan die oorlog.'

Hij wreef met de zakdoek over zijn ogen. 'Die beide ooms liggen waarschijnlijk ergens in Rusland, zoals er hier op dat weiland in het bos ook zoveel naamloze Russische soldaten liggen. Ook nooit weer thuisgekomen.' Hij snoof iets. 'En die Russische jongens, die hier de hel van dat kamp overleefd hebben, en dus terug konden naar huis, hadden beter hier kunnen blijven. Stalin pakte hen meteen op en stuurde hen naar Siberië. Het waren lafaards, zei hij, die jongens hadden zich nooit krijgsgevangen mogen laten maken, ze hadden zich dood moeten vechten, zoals het een goed soldaat betaamde.'

Eva slikte iets weg. Dat had ze nooit gehoord. Ja, deze mensen hadden wel wat meegekregen van de oorlog. Gewone mensen, die nergens om hadden gevraagd, die maar één ding wilden: in rust en vrede leven. Of het nu Duitsers waren of Nederlanders of welke nationaliteit dan ook. De jonge jongens werden naar de hel gestuurd. Beseften die machthebbers niet wat ze aanrichtten met hun machtswellust bij al die gewone mensen? Of interesseerde hen dat niet? Waarschijnlijk niet.

'Zoals die jonge jongens werden behandeld in die kampen. Ik heb weleens gedacht: zou die verdwenen oom van mij ook zo slecht behandeld zijn? Het vaderland riep, heette het en wij kwamen wel. Wij hadden nooit gehoord over Auschwitz en Dachau tot de Amerikanen en de Canadezen hier kwamen. Dat hoefde ook niet, wij hadden die kampen hier in de buurt.' Hij keek naar de jonge vrouw aan de tafel, de kleindochter van Jacob Reijnders, die jonge Hollander die hier gewerkt had, al voor de oorlog begon.

'Jacob heeft het hier zwaar gehad,' zei hij ineens. 'Net als wij allemaal. Wij hoorden het geratel van de mitrailleurs en dan moest mijn vader of een van de andere boeren weer komen met paard-en-wagen...'

Eva knikte onbewust. Dat verhaal had ze eerder gehoord.

Het werd stil en ze dronken zwijgend hun koffie, die al redelijk lauw was geworden. Pas toen vroeg de oude man: 'Waarom kwam je, juffrouw?'

Ze verschoof iets. 'Mijn grootvader wilde nooit iets zeggen over de jaren dat hij hier werkte. Ik weet nog maar sinds kort dat hij in Duitsland gewerkt heeft als landarbeider. Hij is na de oorlog vertrokken naar Twente, getrouwd en heeft zijn leven lang in de textiel gewerkt. Met de jaren werd hij stiller en stiller...'

'De herinneringen bleven, en nou is hij dood,' zei de oude man. 'Het is te hopen dat we na onze dood rust krijgen... Soms twijfel ik daaraan.'

'Ja,' gaf ze toe. 'Nu is hij overleden en kan hij ook niets meer vertellen.'

'Daarom wil je weten hoe hij hier was in die jaren?'

Ze knikte.

De oude man en zijn zoon keken elkaar aan. 'Hij heeft hetzelfde meegemaakt als wij. Hij heeft ook met paard-en-wagen lijken moeten wegbrengen naar die massagraven, hij heeft ook gezien hoe die jonge Russische soldaten zonder pardon en zonder reden werden afgeknald, net als ik dat heb gezien. Op het eind moest ik in dienst, veertien jaar oud. Er werden kinderen ingezet. Dat heb ik niet gedaan, ik ben ondergedoken. We hadden al twee familieleden verloren.'

Er viel een zwijgen dat kil aanvoelde. 'Dat heb ik niet gedaan.' Het klonk zo eenvoudig. Wat zouden de nazi's hebben gedaan als ze die knaap te pakken hadden gekregen?

De oude Johannes vertelde verder. 'Na de oorlog werden de kampen in rap tempo afgebroken. Alles moest zo snel mogelijk verdwijnen. Er mocht ook niet meer over gepraat worden. Dezelfde bestuurders die onder de nazi's op het pluche zaten, zaten er nog steeds. Er is weinig overgebleven van die kampen, weinig meer dan de elektriciteitshuisjes.'

De jonge boer knikte. 'Sinds een paar jaar is er in Esterwegen een museum geopend, maar ik ga er niet naartoe. Geen behoefte aan. Ik ken de verhalen uit de eerste hand. Maar voor de jonge generatie is het nodig. Het kan immers zo weer gebeuren.'

De oude man schoof weer naar achteren op de bank. 'Jacob wilde niets kwijt over die jaren?' vroeg hij. 'Het heeft lang geduurd voor wij iets wilden zeggen. Maar het moment komt onherroepelijk. Je kunt niet eeuwig zwijgen.'

'Mijn grootvader is zelfs nooit weer terug geweest in zijn geboortedorp, en hier is hij ook nooit meer geweest,' zei Eva.

'Ook dat begrijp ik. Ik wilde na die jaren hier ook graag weg. Maar wij waren Duitsers en *nicht gewünscht* in andere landen. Wij zijn gebleven, hier in deze omgeving, samen met de spookbeelden van toen...'

De vrouw boog zich voorover en vroeg ineens: 'Maar dit is toch allemaal wel bekend bij jullie? Er zijn boeken over geschreven, en op internet staat ook een heleboel. Jacob heeft toch wel iets verteld, zoals over die Duitse advocaat die ontsnapt was uit Börgermoor en hier kwam aanlopen begin 1940?'

18

Eva keek verbijsterd op. 'U bedoelt die Wilhelm Schultze uit Dresden?'

Ze knikten alle drie. 'Ja, die man was er slecht aan toe toen hij hier aankwam,' beaamde de oude man. 'Mijn vader heeft de politie niet gewaarschuwd. Dat moest hij natuurlijk wel doen, maar ja, de twee broers van hem waren net opgeroepen voor de dienst en vochten in Polen. Nee, onze familie had al zo'n beetje haar bekomst van de nazi's met die kampen in de buurt.'

'Het is geen fraaie geschiedenis, juffrouw,' zei de jongere man. 'Mijn vader en mijn grootvader hebben het er vaak over gehad. Die ontsnapte man kon hier niet blijven. Ze zochten alles af als er weer eentje of meerderen waren ontsnapt. En als hij werd ontdekt bij je...' Hij zweeg veelbetekenend.

De oude Alberts haalde zijn zakdoek weer tevoorschijn. 'Je grootvader nam hem mee naar Groningen, daar waren mensen die hem verder konden helpen. Hij had daarnaar geïnformeerd, vertelde hij nog. Op een avond zijn ze met z'n tweeën op de fiets vertrokken.'

Bij nacht en ontij via de grens naar Groningen, dacht Eva. Ze keek de twee mannen aan. De vragen buitelden door haar hoofd. Was Florian Schultze hier nooit geweest? Hij woonde hier niet ver vandaan. Hij wist dat opa in Duitsland gewerkt had, maar wist hij ook het adres? Wist Grevinga dat? Dat zou hij kunnen weten als hij de weg had gevolgd die Eva volgde, via het gemeentehuis, maar zij kende een expert op dit gebied, de archivaris... Kende Roelof niet zo iemand?

Ze vroeg ineens of er wel vaker mensen waren geweest om te praten over die kampen. Ze zag de hoofden schudden. Blijkbaar was er nooit iemand het erf op gekomen met een vraag.

'We zouden hen ook niet te woord hebben gestaan,' zei de vrouw ineens.

'Waarom sturen jullie mij niet weg?'

'Ach, Jacob hoorde bij de familie,' zei de oude man. 'Wij hadden zijn familie nooit ontmoet, maar we konden hen uittekenen. Ook later toen hij vertelde dat hij verkering had gekregen. Is dat uw grootmoeder geworden?'

'Nee, ik weet pas sinds kort dat hij dat meisje leerde kennen door die geschiedenis met Wilhelm Schultze, en dat het is uitgeraakt na de oorlog, ook door die geschiedenis met Schultze.'

De vrouw werd nieuwsgierig, merkte Eva. Ze zag de afwachtende gezichten van de mannen. Die zouden ook nooit weer iets van Wilhelm Schultze hebben vernomen.

'Die meneer Schultze is spoorloos verdwenen...' zei Eva toen langzaam.

Het werd stil om de tafel. De gezichten werden strakker, zag ze.

'Hoezo, spoorloos verdwenen?' wilde Johannes weten.

'Mijn grootvader zou hem naar Assen brengen, daar wachtte iemand op hem die hem naar het westen van Nederland zou begeleiden. Daar kon hij via de havens vertrekken naar Amerika. Hij is echter nooit aangekomen op dat adres in Assen.'

'Hoezo, nooit aangekomen? Wat zei je grootvader er dan over?'

'Opa heeft het zelf nooit verteld, maar andere mensen zeiden dat hij beweerde dat die Schultze hem had weggestuurd. Niemand geloofde dat verhaal. De man wist heg noch steg in Drenthe. Waar moest hij naartoe?'

'Ja, dat is inderdaad een vreemde zaak,' stemde de vrouw in. Ze stond op voor nog een rondje koffie. Het was ruim twaalf uur, zag Eva. Ze moest eigenlijk vertrekken. Deze mensen hadden wel wat anders te doen dan met een volstrekt vreemde aan de tafel oude verhalen zitten ophalen.

'Ik zit jullie al veel te lang op te houden,' zei ze toen.

'Welnee, meisje, we zijn blij dat je er bent. Je kunt zo een boterham mee-eten. Dat is geen probleem,' zei Alberts haastig. 'Wij willen ook graag weten wat er zich vroeger heeft afgespeeld. Jacob ging weg eind 1944; we hebben hem nooit weergezien. We hebben jaren later eens geïnformeerd in zijn geboorteplaats, maar daar woonde hij niet meer. Hij was vertrokken, zeiden ze, en verder wisten ze niets.'

Eva vertelde ineens dat ze een jonge Duitse professor had leren kennen, de kleinzoon van die Wilhelm Schultze, en dat die man zocht naar een spoor van zijn verdwenen grootvader. Dat zijn vader ook al vele jaren van zijn leven daaraan had besteed, maar weinig had kunnen vinden. Hij woonde toen in Oost-Duitsland, zoals men dat hier noemde. Nu was zijn zoon ermee bezig en die woonde in de buurt, in Oldenburg.

'Professor, zeg je, aan de universiteit in Oldenburg?' De jonge Alberts schoot bijna in de lach. 'Ik zou die knaap weleens willen spreken.'

Zijn vrouw keek opzij. 'Het is de vraag of wij die meneer veel wijzer kunnen maken.'

'Ik denk dat hij graag met u zou willen praten,' knikte Eva.

'Kun je dat regelen?' vroeg Johannes.

Ze knikte opnieuw. Ze kon gauw genoeg een mailtje sturen. Dat was geen probleem, en ze was er zeker van dat Florian meteen zou toehappen.

Ze beloofde het met de professor op te nemen. Dat was ook wel het minste wat ze kon doen na deze plezierige ontvangst, vond ze.

Tegen vier uur was ze weer thuis, moe van de reis, vol van de verhalen die ze gehoord had.

Ze zat net achter een mok snel gezette koffie toen de telefoon rinkelde. Moeder, zag ze toen ze de hoorn oppakte.

'Ja, wat is er?'

'O, je bent thuis?'

'Waarom bel je als je denkt dat ik toch niet thuis ben?' vroeg Eva bijna lachend. Dat was zo typisch moeder Sonja. Een logica die nergens op sloeg.

'Je weet toch dat John vandaag getrouwd is?' kwam het.

Het deed nog steeds pijn, dacht Eva. Er vlamde nog altijd een steek door haar heen, al had ze er de laatste dagen weinig over nagedacht. Maar ze antwoordde onverschillig: 'Nou, èn?'

'Het is nou definitief te laat.'

'Wat is te laat?'

Het bleef stil. Ja moeder, ik begrijp je best. Maar John is verleden tijd. Dat is voorbij. Het schuurt nog wel, dat geef ik toe, maar dat is een kwestie van tijd.

Ineens ratelde Sonja: 'Inez ligt weer in het ziekenhuis…'

191

Eva keek met een ruk op. 'Wat is er nou weer?'

'Ze is in elkaar gezakt, eergisteren al.'

'Is ze weer afgetuigd?'

'Nee, ze is niet goed geworden. De dokters zijn haar aan het onderzoeken. Het kan een hersenbloeding zijn, daar zijn ze ook bang voor.'

Eva zuchtte. Ze legde weldra de telefoon neer en liet zich op de bank neervallen.

Wat betekende deze ontwikkeling? Complicaties of iets anders?

Ze pakte opnieuw de telefoon. Meteen maar informeren. Over een goed uur was Hettie waarschijnlijk naar het ziekenhuis.

Het duurde even voor zich iemand meldde. Hettie, hoorde ze.

Ja, Inez lag weer in het ziekenhuis. De dokters vreesden voor een herseninfarct, zei Hettie. Inez had zoiets ook al een keertje gehad toen ze net thuis was uit het ziekenhuis, maar dat leek niet ernstig. Ze had even gewankeld, meer niet. Ze hadden gedacht aan een vorm van evenwichtsstoornis. Nu was ze buiten bewustzijn geraakt.

Eva hoorde de diepe zucht aan de andere kant. 'Wij denken, Eva, dat ze weleens last kon krijgen van toevallen, met dank aan haar echtgenoot. Je zou hem…' Weer een diepe zucht. 'Ik ben blij dat je toch nog even belt. Je hebt het vandaag ook niet eenvoudig,' hoorde ze Hettie zeggen.

'Dat valt wel mee,' suste Eva. Ze had vandaag andere zaken aan haar hoofd gehad, en daar was ze blij om.

Ze liep na het gesprek naar de computer en keek in de mailbox. Een mailtje van Roelf Grevinga.

Of ze nog iets had vernomen? Roelof moest maar even wachten op een antwoord. Dat zat niet helemaal goed met die man.

Eva verzond een mailtje aan Florian Schultze met een korte inhoud over haar Duitse trip. Ze was benieuwd naar zijn reactie. Maar dat zou wel een paar dagen duren. Hij was niet echt vlot in het beantwoorden van e-mails.

Datzelfde weekend ging ze met een paar vriendinnen en oud-collega's uit eten in Zwolle, een afspraak die al weken geleden gemaakt was. Al voor dat hele 'gedoe' dat haar de laatste tijd plaagde, dacht ze neerslachtig. Ze zou ook blijven overnachten bij een van hen. Erg veel trek had ze er niet in, maar ze wilde geen spelbreker zijn en dus toog ze tegen vijf uur richting Zwolle, dit keer met de auto.

Ze pikte een kennisje op van huis en ze reden naar het afgesproken restaurant.

Het gesprek aan tafel was opgeruimd en Eva was blij dat ze zich niet had teruggetrokken. Ineens werd de sfeer ernstig toen ze kort meedeelde dat John inmiddels al getrouwd was met een ander.

De meesten wisten het al, maar eentje keek haar verwonderd aan. 'Nou, die heeft zich snel getroost,' kwam de opmerking.

Eva knikte kort.

'Kerels,' vond een ander. 'Je kunt hen er soms niet bij hebben.'

Haar directe collega keek haar ernstig aan. 'Het lijkt alsof het je niet zoveel doet, Eva. Je blijft zo rustig. Ik had jaren geleden een vriendje en die is vorig jaar getrouwd, nou, ik vond het niet leuk, al was het al jaren van de baan.'

'Ergens bijt het wel, maar ik denk dat ik geluk heb gehad. Het was niet lang goed gegaan,' zei Eva openhartig.

'Dat weet ik wel zeker,' knikte een vriendin van de andere kant van de tafel. 'Het is geen slechte vent, maar wel een die bereid is over alles en iedereen heen te kruipen om vooruit te komen. Mijn broer werkt bij hetzelfde bedrijf, die kent hem.'

Eva knikte zwijgend. Ze was niet verbaasd over die opmerking.

'Hij zou naar Amerika,' kwam het ineens. 'Maar dat gaat niet meer door.'

Eva keek haar fronsend aan. Wist ze misschien meer van de werkelijke reden?

'Hij is ontslagen op zijn werk.'

Eva's mond bleef openhangen. 'Wat zeg je?'

'Nou ja, ze noemen het anders, hij heeft zelf ontslag genomen, anders had hij de bons gekregen.'

Eva legde mes en vork neer. 'Hoe kwam dat dan? Ik dacht dat hij zo'n beetje de kroonprins van het bedrijf was.'

De ander haalde de schouders op. 'Kijk, Eva, er zijn mensen die veel kunnen en die daarom denken dat ze ook veel mogen. Ik zei al, mijn broer kent hem. Hij is niet populair onder zijn collega's.'

'Je bedoelt?'

'Hij probeerde een collega pootje te lichten op een bepaald vieze manier. Met een heel smerig mailtje. Dat is hem niet in dank afgenomen door zijn andere collega's. Er bleef weinig anders over dan te maken dat hij wegkwam.'

Eva slikte zonder iets te proeven een hap eten weg. Het gaat steeds meer op de geschiedenis van Inez lijken. Je had ook een vent gekregen die zich op jouw nek had neergezet om er niet meer af te gaan... Mens, wat ben jij de dans ontsprongen. Pa heeft gelijk: je hebt een engeltje op je schouder zitten.

De rest van de avond was ze redelijk stil en ze dronk iets te veel voor haar doen. De anderen merkten het niet eens.

In de loop van de zondag reed ze naar huis terug. Vanavond wilde ze nog naar het ziekenhuis, naar Inez. Daarna misschien nog even naar haar ouders, als ze er tenminste zin in had. Ze gooide haar weekendtas naast de wasmachine. Dat kwam vanavond later wel aan de beurt.

Ze las nog wat, zette de computer aan en vond een mailtje van Florian Schultze. Hij wilde graag met die mensen in Dalum praten, schreef hij.

Eerst maar eens naar het ziekenhuis, naar Inez. Later op de avond zou ze het mailtje beantwoorden.

Ze reed ruim op tijd voor het bezoekuur de parkeerplaats op en liep rustig naar de grote hal. Bij de receptie informeerde ze naar de kamer waar Inez lag.

Het werd haar gedienstig verteld. Ze liep naar de liften en wachtte tot ze mee kon naar de verdieping waar Inez werd verpleegd.

Ze voelde een hand op haar schouder en keek om. Hettie stond achter haar. Ze namen samen de lift.

'Hoe gaat het met haar?' informeerde Eva bezorgd.

'Niet goed. Ze blijkt een zwaar infarct te hebben gehad.

Waarschijnlijk nog een gevolg van eh… hem.' Inez was woensdag in elkaar gezakt en ze was niet weer bij bewustzijn geweest. Gelukkig was er nog iemand thuis geweest, een hulpverlener of zoiets, anders had ze misschien het ziekenhuis niet eens gehaald. 'Hij' had er als een zoutzak bij gestaan. Het werd bitter gezegd. Dat was ook geen wonder, dacht Eva.

'Ik snap het niet,' zei Hettie hartgrondig. 'Ze heeft de ogen nog niet open en ze gaat alweer terug naar die kerel. En je kunt het haar niet verbieden. Kón ik dat maar.'

Eva zweeg.

'Ik heb nog gezegd: kijk nou naar Eva, die rekent er kort en krachtig mee af. Maar nee, ze kon hem niet alleen laten, hij kon niet zonder haar en zij hield van hem… Ach, je kent de tirade.'

Zo kort en krachtig reken ik er niet mee af, Hettie, dacht Eva. Bij mij ziet het er vanbinnen ook niet glorieus uit. Elke keer als het woord 'John' weerklinkt, schuurt het vanbinnen.

Inez lag alleen op een kamer aan diverse machines, zag Eva. Ze ging zitten op een krukje en staarde naar het gezicht van haar vriendin vanaf de kleuterschool. Vrienden voor het leven, maar niet heus. De laatste jaren was daar behoorlijk de klad in gekomen. Ze hadden elkaar zelfs een tijdlang niet eens willen zien, ook al door een vent…

'Ik ben bang dat het niet meer goed komt,' mompelde Hettie. 'Aankomende dinsdag hebben we een gesprek met de dokter. Het is mogelijk dat ze doorgaat naar een verpleegtehuis.' Hettie kreeg het te kwaad, zag Eva. 'Haar baan is ze al kwijt; die vent stapt ook weldra op, daar kun je een lelijk woord op zeggen. Dat is dan een geluk bij dit alles.'

Eva probeerde haar iets op te monteren. Eerst maar eens horen wat de dokters zeiden. Daarna was er tijd genoeg voor andere beslissingen, want die zouden genomen moeten worden. Dat was duidelijk voor iedereen.

Na een uurtje gingen ze samen weg. Inez had haar ogen niet open gehad.

Eva ging nog even aan bij haar ouders. Ja, het was leuk geweest in Zwolle, gezellig ook.

Sonja kon het niet laten. John...

Zomaar ineens zei Eva ronduit: 'Ze vertelden me gisteravond dat John ontslagen is op zijn werk.'

Piet keek op. 'Zo, waarom?'

'Hij schijnt een smerige streek te hebben uitgehaald.'

Sonja boog zich over de tafel heen. 'Hoezo, smerige streek? Heeft hij de boel bedrogen?'

'Ik weet het niet, moeder. Ze vertelden het me gisteravond in Zwolle.'

Piet keek haar fronsend aan. Toen knikte hij. Zijn dochter had die periode afgesloten. John was verleden tijd. Hij kon er alleen maar blij om zijn. Hopelijk was zijn vrouw er ook weldra overheen.

Als Eva nou dat boek over het oorlogsverleden van haar grootvader ook nog dichtdeed, was Piet helemaal tevreden.

'Je had een vrije dag? Zomaar?' vroeg hij langs zijn neus weg. Vrije dagen opnemen was niet iets wat Eva vaak deed. 's Zomers had ze een aantal weken vakantie, en ook met de kerst als het bedrijf een week de poorten sloot, was ze vrij. Met vakantie gaan deed ze weinig. John was daar een voorstander van geweest, Eva niet.

Ze reageerde niet op de vraag van haar vader. Nee, die moest nog even onwetend blijven. Ze wilde die hele geschiedenis van die kampen nog een tijdje voor zich houden. Het was indrukwekkend en angstaanjagend genoeg, maar het werd een beetje duidelijk hoe een en ander zich destijds toegedragen had. Opa had die Wilhelm Schultze op de boerderij leren kennen. Misschien had hij hem zelf wel ontdekt ergens in een hooiberg of een schuurtje waar de man zijn toevlucht had gezocht sinds zijn ontsnapping.

Natuurlijk kon de man daar niet blijven, hij moest weg voor ze hem te pakken kregen. Opa nam hem mee, richting Nederland, dat was logisch, over de grens zou de man veilig zijn. Opa kende de weg, de taal en de mensen.

Maar wat was er gebeurd op weg naar Assen? Dat bleef een raadsel.

Eva stond op, ze ging naar huis, kondigde ze aan. Morgen was het weer vroeg dag.

Ze keken haar na. Sonja met haar gedachten bij Inez, Piet bij die vrije dag. Eva was ergens naartoe geweest en dat 'ergens' had te maken met die Emslandkampen, daar was hij van overtuigd. Eva gaf niet meer op, al zou haar vader dat nog zo graag zien.

Hij moest het maar een beetje in de gaten houden en ingrijpen als het nodig was, als hij daar de kans dan nog voor kreeg.

Twee dagen later belde Florian Schultze zelf op. Hij vroeg hoe het met Eva ging.

Ze antwoordde wat onverschillig. Het ging wel, het had zijn tijd nodig. Voor de rest liet ze het over aan de toekomst.

Hij grinnikte door de telefoon. 'Die ziet er voor jou beslist beter uit dan voor hem,' zei hij onomwonden.

Ja, dacht ze, daar heeft hij waarschijnlijk gelijk in.

Waarom schoot het ineens door haar heen dat Florian een heel goede toekomst voor zich had? Professor aan de universiteit, en dat op zijn leeftijd. Hoeveel professoren liepen er rond van amper dertig?

Hij begon over iets anders. Hij wilde een afspraak maken met de familie Alberts in Dalum en zou graag zien dat Eva meeging.

'Waarom?' vroeg Eva. Zo leuk was die hele geschiedenis niet. Ze liep er nog steeds over te piekeren. Toch klopte er iets sneller in haar hoofd.

Zonder al te veel tegenspraak gaf ze toch toe. Ze wilde wel mee naar de familie. Het was een aardige familie, dacht ze.

Ze was eerlijk genoeg om te bekennen dat ze het ergens wel plezierig vond om Florian terug te zien. Ze mocht die Duitser wel, al wilde ze zich geen enkele illusie maken. Ze had even haar bekomst van dit soort perikelen.

Ze spraken af dat Florian alles zou regelen. Hij zou de afspraak maken met Johannes Alberts en hij zou de datum afspreken, bij voorkeur op een zaterdag.

Diezelfde dag belde Eva nog even met de moeder van Inez. Wat was de uitslag van de dokter?

Die was niet gunstig, zei Hettie bedrukt. Het infarct had een hoop schade aangericht. Inez zou er waarschijnlijk lichamelijke beperkingen aan overhouden. Het was afwachten in hoeverre het lichaam zichzelf nog zou herstellen.

Eva legde neer. Inez, Inez, dacht ze. Waar zit je verstand? Dit is toch niet de bedoeling van een huwelijk? En wat nu? Denk je werkelijk dat hij zich voor jou zal uitsloven? Meid, je staat alleen, wat ik je brom. Wees blij dat je ouders van een ander kaliber zijn. Maar die krijgen op hun leeftijd wel wat voor de kiezen…

Door jouw eigengereidheid, zou ze er bijna aan toe willen voegen. Maar was dat wel eerlijk? Was dat ook de waarheid?

Zuchtend stond ze op. Alsof ik zo eerlijk ben. Mijn ouwelui weten ook niet de helft van wat ik uitspook.

En nu ga ik weer op stap met die Duitser. Aardige vent, niet het type John, maar wat voor een type was het wel? Een aardige, rustige man, dacht ze. Geen flamboyante figuur zoals John, geen streber… Nou, was dat wel waar? Op zijn leeftijd al professor? Dan kon een zekere ambitie hem niet ontzegd worden. Hij was weliswaar '*glänzend*' en had al belangrijk werk gepubliceerd, stond er op internet, maar je kon nog zo briljant zijn, als je jezelf niet promootte, kwam je nergens. Dus, Eva, houd je verstand erbij, meid. Je hebt gezien waartoe het kan leiden als je op je gevoel afgaat.

19

De zaterdag daarop reed ze dezelfde weg die ze al eerder had gereden.

Florian had zich de afgelopen dagen meer dan eens per telefoon gemeld, vaak om een kletspraatje te houden, en ze moest het zichzelf bekennen: ze vond het niet onplezierig als hij zich meldde. Ze zag er zelfs een beetje naar uit.

De familie Alberts vond het prima dat er weer bezoek kwam uit Nederland, had Florian haar verzekerd.

Dit keer had ze een mooie bos bloemen gekocht en die zorgzaam op de achterbank gelegd zodat hij niet weg kon schieten bij een plotselinge stop. Ze voelde iets van spot toen ze dacht aan die bos bloemen die een tijd geleden in de vuilnisbak was beland. Wat was ze toen neerslachtig...

Het weer was grauw, het regende soms iets en de bladeren van de bomen regenden neer als een gouden tapijt op straten en akkers.

Deze omgeving was nog steeds een uithoek in Duitsland met zijn uitgestrekte gronden en hier en daar een boerderij. In Nederland hadden ze vaak rieten daken, in Duitsland pannen op het dak. Grappig eigenlijk. Had dat van vroeger al iets te maken met grondstoffen die voorradig waren in de eigen omgeving? Iemand had haar eens verteld dat rieten daken, die nu blijk gaven van welstand, vroeger een teken van armoede waren. Riet en stro waren volop aanwezig om een huis te bedekken. Pannen moesten gekocht worden. In dit stukje afgelegen Duitsland woonden weinig mensen en er werd ook weinig verbouwd aan graan. Het meeste was veevoer, zag ze.

Zij en Florian zouden elkaar ontmoeten bij een restaurant op de kruising van drie plaatsen, hadden ze afgesproken. Toen ze daar arriveerde zag ze de auto al staan met Florian ernaast.

Nog steeds de jonge intellectueel, dacht Eva terwijl ze uitstapte. Informeel gekleed in spijkerbroek en leren jack. Het haar net iets te lang, de schoenen net niet goed genoeg gepoetst.

Heel anders dan John, die er altijd uitzag om door een ringetje te halen. De modernste merkkleding, de duurste schoenen...

Hoe zou het nu met hem verdergaan? Pasgetrouwd, geen baan, geen rooie cent. Of had zijn vrouw het nodige in de knip?

Niet aan denken, Eva, je bent in Duitsland en je gaat weer een dagje tegemoet met veel nare herinneringen aan een periode die nog steeds niet voorbij is. Kwam dat omdat er na die wrede oorlog geen oorlog in West-Europa meer was geweest? Of was de mensheid zo ondersteboven van de onvoorstelbare wreedheid en de gedachtegang van de nazi's, die meenden dat zij het recht hadden om hele volkeren uit te roeien, weg te vagen als een noodzakelijk kwaad? Was dat laatste maar waar. In andere delen van de wereld bleek wel anders, daar woedde dezelfde kwaadaardigheid.

Ze knikte toen ze hem zag en stak haar hand uit. Hij nam hem aan en hield hem iets te lang vast. Ze merkte het niet.

'*Ein Kaffee*?' noodde hij met een gebaar naar het restaurant.

Ja, dat wilde ze wel. Het duurde nog even voor ze bij de familie Alberts zouden zijn.

Hij kwam naar haar toe lopen met twee flinke stukken taart. Ze schoot in de lach ondanks alles. 'Dat is een hele maaltijd,' merkte ze op.

'Maar wel lekker,' vond hij en hij at het met smaak op.

Eva at haar stuk ook op, zij het met enige moeite.

Daarna liepen ze naar buiten. Hij had al betaald, suste hij meteen toen hij haar zag kijken naar de man achter het schap die hen nog groette met een '*Wiedersehen.*'

Gelukkig, geen 'toe, betaal even, je krijgt het zo terug'. Het was wel prettig voor een keer, dacht ze.

'Laat de auto hier maar staan. Ik heb het gevraagd, het mag. Dan rijden we in één auto verder,' bood hij aan.

'Dan moet je me ook nog terugbrengen,' protesteerde ze.

Dat was geen bezwaar, zei hij.

Ze gaf toe. Ergens kwam het prettig over. Ze stapte naast hem in de auto met de bos bloemen op schoot.

Het was nog even rijden voor ze bij de boerderij aankwamen. Het vlakke landschap, de grauwe dag zonder een straaltje zon, de bladeren die vielen.

Johannes stond al op het erf en stak zijn hand op.

De professor werd hartelijk welkom geheten, al zag Eva met een beetje binnenpret dat de informele kleding van 'Herr Professor' er eigenlijk niet mee door kon, naar de mening van Johannes. Nee, hij had in het zwarte pak met baret moeten komen, dacht ze bijna vrolijk.

De oude man had zowaar een jasje aangeschoten. Of ze ook onder de indruk waren van zo'n hooggeleerde baas, dacht Eva verwonderd. Het zou wel Duits zijn. Zelfs de vrouw van Johannes junior had iets van een nette jurk aangetrokken. Ze was blij verrast met de grote bos bloemen, die Eva haar overhandigde.

'Praat u maar gewoon in het dialect,' zei Florian monter. 'Dat begin ik aardig te verstaan. Ik vraag wel als ik het niet begrijp.'

Dat brak meteen de ietwat gespannen sfeer, merkte Eva. Ze hielden hier ook niet van kouwe kak.

Het hele verhaal dat Eva onlangs had gehoord, werd nog eens verteld. Wilhelm Schultze was aangetroffen op het land van de familie Alberts. Ze hadden de man niet overgedragen aan de autoriteiten, zoals dat moest. Hij was naar Nederland gesmokkeld…

Johannes senior kuchte toen de koffie op de tafel stond. 'Het was voor ons niet gemakkelijk. Wij zaten met een ontsnapte man en we wisten ons geen raad met hem. Je kon niemand vertrouwen, zelfs je buren waar je een leven lang naast gewoond had, niet. Wat moesten we doen? Hoe moesten we hem de grens over krijgen?' De oude man zweeg een moment, toen zei hij: 'Jouw grootvader wist een uitweg. Hij had gehoord over een communistische groep in Groningen, die de helpende hand kon bieden.'

Eva knikte. Dat hadden ze al verteld. In diezelfde tijd had opa Riek Grevinga leren kennen.

'De Rode Hulp,' zei ze. 'Maar die was al opgeheven in 1938, al werd er nog steeds gewoon hulp geboden.'

Florian knikte bedachtzaam ten teken dat hij daarmee ook op de hoogte was.

'Kort en goed, Jacob heeft die contacten gelegd via zijn familie.'

201

Eva veerde op. 'Ging hij naar die marechaussee?' vroeg ze schril.

Johannes keek haar een beetje verbaasd aan. 'Ja, die wist meer dan een gewoon iemand. Die had meer mensen voortgeholpen, zei Jacob.'

Eva slikte iets weg. Was opa zo naïef geweest, en had hij Wilhelm Schultze overgeleverd aan die man?

Waarom zou hij hem eigenlijk niet geloofd hebben? Het was nog geen oorlog, het was vroeg in 1940. Nederland wilde neutraal blijven, de bevolking geloofde niet in oorlog, gerustgesteld door een overheid die waarschijnlijk wel beter wist. Ze zweeg.

'Was er iets met die neef van hem?' vroeg Johannes junior die de geschrokken uitdrukking op het gezicht van de jonge vrouw zag.

Eva gaf geen antwoord. Ze knikte alleen maar.

De oude man had het amper gemerkt en vertelde verder. Schultze was een paar weken in Groningen ondergedoken geweest en daar had hij ook valse papieren gekregen. In die dagen had Schultze waarschijnlijk zijn brief geschreven aan zijn familie in Dresden.

'Jacob zou hem naar een ander adres brengen,' zei hij nog. 'Hij wilde er eigenlijk niets meer mee te maken hebben, hij had genoeg meegemaakt op die tocht door de provincie, zoals hij zei. Uiteindelijk deed hij het toch. Het was goed gegaan, zei hij naderhand toen hij terugkwam.'

'En daar houdt het spoor op,' vulde Florian aan.

De drie keken hem aan met enig respect, maar tevens wat ongeloof. 'Dat kan toch niet. Die man is ergens gebleven,' vond vrouw Alberts.

'Ja, maar waar?'

De oude Johannes trok een peinzend gezicht. 'Hij heeft alleen gezegd dat hij een ongelooflijk stomme streek had uitgehaald. Maar wat dat inhield, vertelde hij niet. Het laatste jaar dat hij bij ons werkte, werd hij veel zwijgzamer, dat wel. Maar dat schreven wij toe aan de veranderende omstandigheden hier ter plaatse. Het werd hier niet plezieriger in dat laatste oorlogsjaar. Op een dag is Jacob naar huis gegaan en niet weer teruggekomen.

Dat was eind 1944. Over die Schultze is nooit weer gesproken, wij hebben er ook niet naar gevraagd. Wat je niet weet, kun je niet verantwoorden. Het was hier te gevaarlijk. Er liep hier van alles rond, deserteurs, gevaarlijke misdadigers, vluchtelingen. Je hield de deur voor iedereen dicht.'

Ze zwegen een tijdje. Er werd koffie ingeschonken. Men keek elkaar aan.

'We hebben het na de oorlog aan deze tafel nog vaak over Jacob gehad, en wij kwamen altijd weer tot de conclusie dat er iets gespeeld heeft waar wij niets van weten. Juist door die opmerking van Jacob dat hij een stomme streek had uitgehaald,' vertelde de oude man.

Ja, dacht Eva, er moet iets aan de hand zijn geweest. De voorschriften waren duidelijk: opa moest die man op dat adres afleveren. In plaats daarvan ging hij gewoon naar huis en zei niets.

Johannes keerde zich naar Eva. 'Die opmerking net over die neef van Jacob. Wat was dat voor iemand?' wilde hij weten.

Florian zat stil in de hoek van de bank. Hij was bleek geworden. Hij was nog nooit zo dicht bij het antwoord van zijn grootvaders verdwijning geweest. Hij was hem genaderd tot die ene stap op weg naar Assen.

Eva haalde diep adem. 'Die man is na de oorlog in Nederland doodgeschoten vanwege oorlogsmisdaden.'

Het werd doodstil om de tafel. Toen knikte de oude man. 'Stomme streek, ja, inderdaad, waarschijnlijk heeft Jacob gemerkt dat er iets fout ging door zijn goedgelovigheid.'

Ineens zei Florian: 'Ik denk dat ik wel weet hoe het gegaan is. Het is niet zo ingewikkeld meer. Jouw grootvader heeft de hulp ingeroepen van die man. Die heeft mijn grootvader waarschijnlijk gewoon aan zijn beulen overgeleverd.'

Er viel opnieuw een stilte. Zoiets moet het zijn geweest, dacht Eva. Hoe heeft opa dat ervaren toen hij daarachter kwam? Bedoelde hij dat met die opmerking dat hij een stomme streek had uitgehaald? Hij moest op een zeker moment toch begrepen hebben dat hij gebruikt werd?

Was destijds het halve netwerk van hulpverleners opgerold?

Wist opa dat? Geen wonder dat hij daar nooit een woord over

vuil wenste te maken en het gebeurde diep wegstopte in zijn geest. Nu begin ik te begrijpen waarom opa vertrok uit Drenthe...

'Wij hebben anders nooit last gehad. Als ze wisten dat je een ontsnapte gevangene verborg, was je er niet klaar mee. Maar er is nooit iemand geweest...' Johannes zei het wat haastig, alsof er alsnog iemand kon binnenkomen om hen ter verantwoording te roepen.

Die man wist toch wel waar opa in Duitsland werkte? Had opa verborgen gehouden waar hij de ontsnapte gevangene had ontdekt? Een verhaal opgehangen over hoe hij hem had aangetroffen om zijn werkgever erbuiten te houden?

En hoe kwam Roelof Grevinga erbij dat opa de oude Grevinga had verraden, later toen de oorlog al op zijn eind liep? Er waren geen contacten meer geweest. Ze kreeg de neiging de ogen te sluiten. De meeste vragen bleven onbeantwoord.

Een uurtje later vertrokken ze, uitgezwaaid door de familie. Ze moesten nog eens terugkomen, was de hartelijke uitnodiging.

Dat kon best nog eens gebeuren, dachten ze allebei.

Ze waren amper op de verharde weg aangekomen of Florian zei: 'Ik ga nog eens graven in de kampgegevens. Die liggen in een centraal archief in de buurt van Berlijn. Ik vraag nog eens bij het Rode Kruis of ze daar iets weten. Maar ik heb vandaag wel begrepen welke richting het uit gaat.'

'Ik weet niets van die grensbewaker. Ik hoorde pas een week geleden voor het eerst dat hij familie van mijn grootvader was.' Ze vertelde hoe ze aan die wetenschap was gekomen.

Florian keek op zijn horloge. 'Heb je tijd?'

Ze knikte verwonderd. 'Dan gaan we naar Nederland,' zei hij vastbesloten. 'Op zoek naar die familie van je grootvader.'

'Die is er niet meer, en die verre neven en nichten ken ik niet eens.'

'Nee, maar ze kennen hem vast nog wel in dat dorp.'

Ze reden verder. Haar auto bleef staan in Duitsland, bedacht ze toen de Nederlandse grens al was gepasseerd. Het was niet eens ver, binnen een halfuurtje waren ze in het centrum van het dorpje waar opa was geboren.

Florian was voortvarend, hij wist precies wat hij zocht en waar hij blijkbaar zijn moest. Hij vroeg naar een historische kring. Nee, die hadden ze hier niet. Was er iemand die iets van de geschiedenis van het dorp wist? Ja, natuurlijk, er waren er wel meer. De oude Jans Wevers, Greta van de Boon wist ook wel het een en ander, maar hij kon het best naar de meester gaan, die sprak ook een aardig woordje Duits. Hij had weinig meer te doen sinds zijn pensionering. En van de oorlog wist hij een heleboel, werd er wat bot aan toegevoegd.

Eva kreeg het gevoel dat ze op sleeptouw was genomen. Ze zou het liefst thuiszitten achter de computer of opgerold in de bank. Ze was moe van die hele geschiedenis.

Het zoeken naar het adres waar de meester woonde, was geen moeilijke opgave. Ze hoefden amper de straatweg over te steken.

De meester bleek een vitale, forse man van even in de zeventig te zijn, en hij heette hen van harte welkom. 'Klaas Grevinga,' zei hij terwijl hij hun de hand toestak.

Ze deinsden bijna terug. 'Wat zegt u? Grevinga?'

De man lachte breeduit. 'Ja, een echte Groninger…'

Florian was wat minder geschrokken dan Eva. 'Bent u familie van Roelof Grevinga uit Zwolle?' vroeg hij meteen.

De man keek hen strak aan. De glimlach was even weg. 'Of ik familie ben van Roelof? Ja, in de verte. Ik kende hem niet tot hij ineens een paar jaar geleden hier op de stoep stond. Aardige vent, dacht ik, tot ik zijn zuster had gesproken…'

Precies hetzelfde als ik, schoot het door Eva heen.

'Riek?' bracht ze uit.

'Ja, Riek. Best mens, ik zie haar een enkele keer weleens. Maar kennen jullie hem ook?' Hij staarde Florian aan. 'Oppassen met die man,' zei hij toen. 'Ik kan hem niet peilen. Hij heeft ideeën in zijn hoofd gezet die je er met geen tien paarden uit trekt, al kloppen ze overduidelijk niet.'

Florian leek wat verward. Maar hij knikte en stapte over de drempel toen Klaas een uitnodigend gebaar maakte.

'Kom binnen, kijk niet naar de rommel, zei mijn moeder vroeger altijd. Ik ben een ouwe vrijgezel…'

Er was weinig rommel te bekennen, zag Eva. Het was een keurige woonkamer, gezellig zelfs.

Klaas wilde weten hoe ze bij hem terecht waren gekomen. Hij werd enthousiast toen Eva zich voorstelde als een kleindochter van Jacob Reijnders.

'Die man heb ik jaren geleden gesproken,' zei hij opgewekt. 'Helaas is het bij dat ene gesprek gebleven. Ga zitten, koffie, thee?'

Ze wimpelden beiden af. Ze hadden meer dan genoeg koffie gehad, zeiden ze.

'Wij willen graag wat meer weten over dat familielid van mijn grootvader, die is tegen de muur gezet na de oorlog,' zei Eva ronduit en zonder enige voorbereiding.

Klaas knikte instemmend. 'Dat was een ploert,' zei hij. 'Daar hebben ze het hier in het dorp nog geregeld over. Voor de oorlog was hij bij de grensbewaking in deze buurt. Hij heeft, achteraf bezien, voor de oorlog al een aantal streken uitgehaald die beslist niet door de beugel konden.'

'Ontsnapte gevangenen teruggebracht naar de kampen?' vroeg Florian langzaam.

'Ach, jullie zijn op de hoogte van de Emslandkampen?' vroeg Klaas en hij ging zitten in een uitgesleten, maar comfortabele stoel. 'Er zijn nogal wat mensen die er nooit over gehoord hebben. Ik heb een tijdlang in een soort commissie gezeten, midden jaren tachtig van de vorige eeuw. Die was behoorlijk vooruitstrevend voor die jaren, er zaten ook Duitsers in van vlak over de grens. We wilden iets van die geschiedenis op schrift stellen. Dat viel niet mee. We stuitten steeds weer op de communisten als hulpverleners aan die gevangenen, en het was nog in de tijd dat het communisme als een gevaar werd gezien. De Duitsers wilden liever vergeten, en wij ook, helaas. Het project mislukte dan ook.' Hij zweeg een ogenblik, toen blikte hij op en zei: 'Tja, die neef van je grootvader. Ik mag toch wel jij zeggen, hè?'

Eva leunde achterover. Ze zag dat Florian wat moeite had om de rappe woorden van de oud-meester in het wat Duits klinkende dialect te volgen. Maar hij begreep wel waar het om ging.

'In wezen was het een zielige figuur, die Cornelis Veenman.

Zijn moeder en jouw overgrootvader waren zuster en broer. Een loser, zouden we nu zeggen. Het komt geregeld voor, mannetjes met een te groot ego en te weinig capaciteiten. Maar wat heeft hij veel verdriet en ellende gebracht gedurende de bezettingsjaren, al voor de oorlog trouwens ook. Wat hebben de mensen zich op die man verkeken.'

'Mijn grootvader vertrouwde hem?'

'Ja en nee. Dat is het tegenstrijdige. Het was familie, en dat telt in deze streken. Je bedriegt je eigen familie niet, denken we dan.'

Ze keken elkaar aan, Florian en Eva. Het werd steeds duidelijker. Een bange jongen met een neef die zogenaamd de helpende hand zou bieden.

'Hoe was die man voor de oorlog?' wilde Eva weten.

'Hij werkte iets ten noorden van hier aan de grens. Toen stond hij ook al in een slecht daglicht, vooral vanwege zijn houding tegenover de gevangenen die probeerden de grens over te komen. Die moesten officieel weer uitgezet worden, dat was de wet, maar de meeste marechaussees knepen liever een oogje toe. Cornelis Veenman niet, integendeel. En toen de bezetting een feit was, ontpopte hij zich tot een echte mensenjager.'

'Mijn grootvader werkte in Duitsland…'

Klaas knikte. 'Ja, dat is bekend. Hij kwam zelfs in januari 1940 een keer met een gevangene over de grens.'

Florian zat al rechtop.

'Een fervent tegenstander van de nazi's, een advocaat, hij had jaren in Börgermoor gezeten.'

'Dat was mijn grootvader,' zei Florian.

Grevinga knikte langzaam. 'Soms vraag je je af hoe ongelooflijk naïef mensen kunnen zijn, ja, ook die mensen in Groningen. Ze wisten allemaal dat Cornelis een bloedhond was, en toch…'

Klaas keek op. 'Ze lieten je grootvader gewoon met die man naar Assen gaan. De val stond open en ze tuinden er allemaal in. Het adres in Assen was een paar uur tevoren overvallen door de politie. Men vermoedde er subversieve activiteiten, zoals dat zo mooi heet. Ik ben er vrij zeker van dat Cornelis de hand in die overval heeft gehad. Ik heb lang achter de politierapporten van die tijd aan gezeten. Het heeft moeite gekost om die in handen te krijgen.'

Eva keek op. Hé, dat was nieuw.

'Je grootvader heeft zich wel degelijk gemeld op dat adres. Cornelis wachtte hem op. Jacob kon rustig naar huis gaan. Hij moest maar zeggen dat die Schultze hem weggestuurd had. Je grootvader had beter moeten weten, hij kende zijn neef en diens reputatie, maar ja, de familieband gaat dan spreken.'

'Hoe kent u dat verhaal?' vroeg ze een beetje achterdochtig.

'Uit de politierapporten, en er is nog een bron,' kwam het vlot. 'In de jaren zestig stond een Duitse kampbewaker terecht in Essen. Ik ben een aantal keren bij die zittingen geweest, al was ik nog een jonge vent. Ik had meer dan gewone belangstelling voor die rechtszittingen van oud-nazi's in Duitsland, vandaar. Het werd die man zwaar aangerekend dat hij de Duitse gevangenen zwaar had mishandeld. Er werd destijds geschermd met het verhaal dat de Nederlanders graag van die lui af wilden. Ze werden immers altijd de grens weer overgezet. Die kampbewaker beweerde meer dan eens hulp te hebben gehad van een Nederlandse grensbewaker, ene Cornelis Veenman, die de gevangenen soms persoonlijk kwam afleveren zonder enige vorm van protocol. Ik heb geprobeerd het gerechtelijk dossier van Veenman in handen te krijgen, maar dat lukte me pas een paar jaar geleden toen die dossiers openbaar werden. Er werd veel bevestigd van wat we toen al wisten.'

Hij keek Eva aan. 'Ik heb lang geleden contact gezocht met je grootvader. We hebben elkaar gesproken halfweg Zwolle, ergens in een wegrestaurant. Hij heeft me toen verteld wat er precies gebeurd was met die Schultze. Dat was ook de laatste keer dat hij erover wilde praten, zei hij nog. Ik heb beloofd het nooit op schrift te stellen, dat heb ik ook niet gedaan. Ik heb wel gezegd dat ik opheldering zou geven, mocht er ooit familie van die gevangene bij me aankloppen.'

'Had hij het er moeilijk mee?' vroeg Eva ineens.

'Na de oorlog was iedereen met andere zaken bezig, de maatschappij moest weer opgebouwd worden, de ogen waren op de toekomst gericht. Terugkijken deed je zo weinig mogelijk. Er zijn heel wat mensen lelijk in de kou blijven staan door die hou- ding. Je grootvader had er toen weinig moeite mee, net als ieder- een. Hij was druk bezig met zijn leven op te bouwen, en aan het gebeurde was helaas niets meer te veranderen, vond hij.'

Eva zweeg. Maar met de jaren kreeg hij het moeilijker, dat is zeker. Die advocaat moest later door zijn dromen en zijn hoofd gespookt hebben, samen met die verschrikkingen van de oorlog. Opa had echt wel begrepen wat er met die man gebeurd was. Hij had de gruwelijke realiteit te vaak aanschouwd met eigen ogen.

'Is mijn grootvader doodgeschoten?' vroeg Florian bijna rauw. Hij had al die tijd niets gezegd, alleen maar geluisterd.

'Natuurlijk, dat was het lot van opnieuw gepakte gevangenen, daar draai ik niet omheen.'

Florian knikte enkel. Dit was alleen een harde bevestiging van wat hij allang wist, misschien al jaren, dacht Eva. Ze kreeg bijna medelijden met hem. Onwillekeurig legde ze haar hand op de zijne.

Hij zuchtte diep. 'Mijn vader heeft zijn leven lang geprobeerd te achterhalen wat er gebeurd is; ik heb jarenlang gezocht, en waar vind ik het antwoord? Bij een schoolmeester in een dorpje in Drenthe.' Het kwam eruit alsof het er eigenlijk niet toe deed.

Al die jaren in onzekerheid, die lichte, vage hoop dat de groot- vader misschien toch ergens was gebleven. Misschien wel hopend dat hij toch ergens een nieuw leven had opgebouwd, zoals 'men' beweerde.

Klaas stond op en schonk een glas sterkedrank in. 'Drink op,' zei hij kort. 'Je hebt het even nodig, vriend.'

Florian pakte het aan en goot het in enkele teugen naar binnen. Eva weigerde beslist. Er moest straks wel iemand achter het stuur.

'En Roelof Grevinga?' vroeg ze ineens. 'Hoe komt hij erbij dat mijn grootvader zijn vader heeft aangebracht?'

Klaas keek haar vorsend aan. 'Eva, hij heeft de vader van Roelof niet aangebracht. Waarom zou hij?'

'Hij wist via Riek waar de man was ondergedoken,' mompelde ze.

Klaas schudde zijn hoofd. 'Dat wil niet zeggen dat hij hem ook verraden heeft.' Hij boog zich voorover en keek haar recht aan.

'Maar wie heeft hem dan verraden?'

'Roelofs vader werd zwaar gezocht, hij was ondergedoken in de buurt van Coevorden. Het is heel tragisch dat hij gepakt werd, maar er zijn tientallen mogelijkheden waardoor hij in handen van de Duitsers viel. Ik heb nadat ik Roelof ontmoette, een onderzoek ingesteld, rapporten gelezen, die bewaard worden bij het NIOD. Niets wees op verraad door jouw grootvader. Dat heb ik Roelof ook verteld. Hij is trouwens nooit bij het NIOD geweest. Dat geeft al te denken.'

Hij nam haar hand, die licht trilde. De jonge vrouw had er misschien wel om wakker gelegen, dacht hij. Dat krijg je met die mensen die weigeren hun mening te herzien en die mening zonder nadenken overal verspreiden.

'Riek gelooft het ook niet,' mompelde ze.

'Daarom greep ze in, en wees er blij om. Ze heeft het er moeilijk genoeg mee. Je grootvader erkende dat hij een stomme streek uithaalde, vertelde je. Ik praat het niet goed, maar we hebben het wel over een jonge jongen die werd opgezadeld met een ontsnapte gevangene en zich daar geen raad mee wist. Die blij was met elke hulp, ook die van een vent die voor geen cent te vertrouwen was.'

Ze zwegen een tijdlang.

Ze wilde weg, dacht Eva ineens. Moeder had gelijk. Je moest niet alles willen weten. Een leven lang had die zaak opa achtervolgd. Gemakshalve werd er ook van uitgegaan dat hij 'daarom' ook de vader van Roelof had verraden: eens een verrader, altijd een verrader.

Hij was vertrokken naar Twente, hij had graag in Zuid-Afrika willen blijven toen hij daar een jaar lang werkte. Daar waren geen spoken uit het verleden. Had oma ooit ingeschat wat precies de reden was van zijn wens? Waarschijnlijk niet.

En opa zweeg erover. Hij was van de generatie die alles oppotte.

Florian stond op. Ze hadden al meer dan een uur hier gezeten en het liep naar vijf uur. Ook hij had even genoeg aan zichzelf en zijn verleden.

Hij zuchtte. 'Ik zou willen zeggen, hartelijk dank…'

Klaas schudde zijn hoofd. 'Jongen, ik had het je graag willen besparen. Het is drieënzeventig jaar geleden sinds je grootvader verdween. De mensen, die er met de neus bovenop stonden, zijn overleden. Het duurt niet lang meer, dan zijn er helemaal geen getuigen meer. We mogen alleen niet vergeten waartoe de mens in die jaren in staat bleek, want het kan zo weer gebeuren, beter gezegd: het is alweer gebeurd, op meerdere plaatsen in de wereld.' Hij glimlachte wrang. 'Het schijnt in de mens te zitten. Na elke oorlog zeggen we: nooit meer oorlog, en ondertussen poetsen we de geweren alweer op.'

Florian knikte en leek een kleine jongen die door zijn vader werd toegesproken. De professor en de onderwijzer, ze begrepen elkaar wonderwel, dacht Eva.

'Ik zou het prettig vinden om met jullie contact te houden,' zei Klaas toen ze buiten stonden.

Florian knikte. Dat zou ongetwijfeld gebeuren. Hij had vragen genoeg.

Ik heb ook genoeg te denken, piekerde Eva toen ze in de auto stapte. Moeder, je weet diep in je hart wel dat er iets gebeurd is in opa's leven, maar je hebt het nooit willen weten. Het ligt niet in jouw aard achter zaken aan te jagen die je narigheid kunnen bezorgen. Ik denk dat je gelijk hebt.

Ik zal er niet over beginnen. Opa heeft zijn rust, dat is het belangrijkste. Hij heeft het zwaar genoeg gehad in zijn latere leven.

Roelof Grevinga schrap ik uit mijn boekje, voor mijn eigen gemoedsrust. Klaas heeft gelijk, de man zoekt antwoorden die er niet zijn.

Maar Florian dan? Die heeft na al die jaren ontdekt wat hij wilde weten, wat zijn vader al wilde weten.

Hij zal mij gauw genoeg vergeten zijn. Ik ben een te grote belasting voor hem en zijn verdere familie, de kleindochter van de man die hun grootvader min of meer overleverde aan de dood. Ik wil nu naar huis, ik ben doodmoe.

Epiloog

Een maand later nam Eva een weekje vrij, zomaar zonder na te denken. Nee, ze ging niet op vakantie, ze was een beetje gespannen en wilde rust.

Ze had vrije dagen genoeg, al was het weer er niet naar, midden november. Haar ouders gaven haar gelijk. Ze had een moeilijke tijd achter de rug door die toestanden met John, vond haar moeder. Eva liet het maar zo. Ze had niets verteld over 'Emsland', ook niet aan haar vader, al kreeg ze het gevoel dat hij meer in de gaten had dan haar lief was.

De laatste weken was het stil geweest om haar heen, en daar was ze blij om. Ze had nog een paar e-mails ontvangen van Roelof Grevinga, maar ze had ze niet beantwoord en nu was het veertien dagen geleden sinds ze voor het laatst iets vernomen had van de oude man.

Inez was na een paar dagen bijgekomen uit haar coma. Ze was aan één zijde verlamd geraakt door dat zware infarct. Ze zou nog wel iets herstellen, maar de oude werd ze niet weer. Het zou waarschijnlijk een tijdelijke opname worden in een verpleegtehuis om te revalideren. Moeder Hettie had haar zin: de scheiding was in werking gezet door de man van Inez. Hij vond dat hij te jong was om met een invalide vrouw te leven.

Van Florian hoorde Eva niets. Ze had nog even gehoopt dat hij haar zou vragen om mee te gaan eten bij het Duitse restaurant na het afscheid van Klaas Grevinga, maar dat deed hij niet. Dat was ook wel te begrijpen, dacht ze toen ondanks haar teleurstelling. De realiteit was hard ondanks het feit dat die al jaren vermoed werd.

Het speet Eva meer dan ze zichzelf wilde bekennen. Florian, zo heel anders dan John.

Van John hoorde ze ook niets, en daar was ze alleen maar blij om. Ze miste hem ook amper. Ze dacht veel meer aan die jonge Duitse professor. Was hij nou getrouwd of was hij vrijgezel? Eigenlijk had hij nooit iets over zichzelf verteld.

Hij weet wat hij weten wilde en jij bent overbodig, meisje, zei ze tegen zichzelf. Hij heeft jou niet meer nodig. Je bent verleden tijd, een nare herinnering...

Toch zette ze vaak de computer aan in de wilde hoop een mailtje te zien van hem. Hoe gaat het enzovoorts.

Ze had al die tijd niets vernomen.

Het was de laatste dag van haar weekje vrij. Ze had de afgelopen dagen wat gewinkeld met Danny en de kleine meid in Enschede, veel gelezen in haar warme hoekje in de bank, koffiegedronken bij haar ouders en een paar keer Inez bezocht, die was opgenomen in een verpleegtehuis en goed scheen te revalideren. Verder was ze uit eten geweest met een oude vriendin en ze had stevig gestudeerd. Ze was echt opgeknapt van dat weekje.

Volgende week begon het gewone leven weer. Het werk, de afspraken, de school.

En vooral niet denken aan die Duitser. Het ging wel voorbij. Vanavond was er een leuke film op de televisie en die wilde ze zien.

Tegen zeven uur werd er gebeld. Ze keek wie er was, maar zag niemand. Kwajongens natuurlijk, dat gebeurde wel meer.

Ze zat alweer eventjes toen er opnieuw gebeld werd, ditmaal aan de voordeur.

Ongeduldig liep ze naar de deur. Tientallen gedachten, een mevrouw met een collectebus, een buurvrouw, Joost, die koffie wilde hebben...

Ze opende de deur en haar mond viel open. 'Florian,' stamelde ze. 'Waar kom jij vandaan?'

'Mag ik binnenkomen?' vroeg hij. 'Je dacht toch niet dat ik je vergeten was? Ik had alleen tijd nodig om alles op een rijtje te zetten en mijn moeder in te lichten in Dresden. En ik wilde jou de tijd geven om op adem te komen. Jij kreeg ook het nodige te verwerken.'

Ze knikte ademloos en sloot de deur achter hem. Ze dacht aan de laatste keer toen hij bij zijn auto stond. Hij had gespeeld met de sleutel. Hij wist niet goed wat te zeggen en bracht uit: 'Het beste en tot ziens...'

Toen was hij weg, zomaar. Ze had de teleurstelling gevoeld, ondanks alles.

Ze was verdrietig naar huis gereden. Wat een ijskoude douche.

Ergens was ze woedend, ergens alleen maar verdrietig.

En nu stond hij hier. 'Ik durfde je niet te vragen om mee te gaan eten,' zei hij. 'Je was nog zo met die John bezig. Dat zag ik aan alles. Het verdriet lag zo duidelijk op je gezicht en ik... ik had ook mijn tijd nodig.'

Ze knikte en liep naar de kamer.

Hij volgde haar. 'Eva, ben ik welkom?' kwam het zacht.

Ze draaide zich om. 'Ja, natuurlijk,' zei ze. 'Ik was zo teleurgesteld omdat je zomaar wegreed.'

'Ja, stom van me. Daar zijn we kerels voor, we snappen het nog steeds niet.' Hij grinnikte en strekte zijn hand uit naar de hare. 'Het zal nog wel een tijdje duren voor alles in goede banen is geleid. Maar ik zou graag willen dat we elkaar beter leerden kennen, veel beter. Om maar meteen weer helemaal opnieuw te beginnen: mijn naam is Florian, ik ben even in de dertig en heb een aardig huis in Oldenburg, een redelijke baan met een redelijk inkomen, ik ben nog helemaal vrijgezel.'

'Houd op,' lachte ze. 'Bewaar die woorden maar voor mijn ouders.'

Hij grinnikte hardop, en ze zag in die blauwe ogen iets van ondeugendheid die ze nooit eerder had gezien. Er was een last van hem afgevallen, begreep ze. De lange speurtocht naar zijn grootvader was ten einde. Het was geen mooie uitkomst geweest, geen prettige tocht ook, maar het was voorbij, na bijna vijfenzeventig jaar.

Ook zij had antwoorden gekregen die ze liever niet geweten had.

Maar zij konden het verleden achter zich laten, en naar een toekomst kijken die voor hen nog heel wat in petto kon hebben.

Wilt u meer prachtige romans van de VCL-serie lezen?

De mooiste boeken met verhalen van alledag voor mensen van vandaag. Familie- en streekromans met een positieve levensvisie. Van bekende Nederlandse auteurs. Boeken voor een bijzonder lage prijs die tegen minimale kosten worden thuisbezorgd. Speciaal voor abonnees 12 boeken per jaar!